[illegible] [illegible]き方 がわかるワーク

働きがい創出コンサルタント
中尾文香

職場の人間関係をスムーズに！

「働きやすさは、生きやすさ」

はじめまして。働きがい創出コンサルタントの中尾文香と申します。「NPO法人ディーセントワーク・ラボ」という団体の代表理事をしています。

この団体での活動は後述しますが、まず、この本を手にとってくださった方にお礼を申し上げます。関心をもっていただいた方の中には、今のご自身の働き方について、次のような状況に悩み、苦しい思いを抱えている人がいるのではないでしょうか。たとえば、

- 自分の強みがわからない（だから、自分はどんな仕事に向いているのか、よくわからない）。
- 一生懸命がんばっているのに、周囲には認められていないと感じる。
- 自分が望む仕事に就くことができていない。
- 今の仕事にやりがい、働きがいを見出すことができない。

- **職場やプロジェクトなど、チームでの人間関係がいつもうまくいかない。**
- **この先、自分が今の仕事で働き続けられるかどうか、とても不安だ。**

こうした悩みを抱える方が求めている、わかりやすい答えとは一体何でしょうか？　突き詰めるとそれは、「私が、私らしく働く」ということに集約されると思います。この本では、そんな「私らしく働きたい！」と願うすべての人たちに向けて、**「働きづらい」を「働きやすい」に、そして「生きづらい」を「生きやすい」に変えていく方法をご提案**しています。

「この本を世に出して伝えたい！」と思ったきっかけはいくつかあるのですが、まずは自己紹介も含めて、本書の必要性を知っていただけたらと思います。本題に入る前に、少しだけおつきあいください。

コロナ禍が変えた「働き方」の価値観

「人生100年時代」という言葉も、最近は当たり前となりました。60歳が定年だった昭和の時代と比較すると、今の高齢者世代はまだまだ現役の方が多く、私たちの労働時間もこの先ますます長くなっていくことでしょう。

「働く」とは、たんに対価を得ることだけが目的ではなく、何らかの形で、社会の中で役割をもつこと。実際、「社会の中で役割をもつことが心の健康につながる」というデータがあることからも、それは実証されています。**たとえどんなに小さな役割であっても、「社会のため」「誰かのため」に自分が存在している。**そう思えることで、人は幸せを感じ、働きがいを感じ、生きる意味を見出すことができるのではないでしょうか。

自分らしく働くことが、生きがいにつながる。そんな価値観が強まる中で、新型コロナウイルス感染症の世界的パンデミックが、人々の働き方への意識をさらに変えることになりました。内閣府による「新型コロナウイルス感染症の影響下における生活意識・行動の変化に関する調査」（令和2年6月）によると、「仕事への向き合い方などの意識に変化があった」と回答した人は約57％と、半数以上にも及んでいます。

リモートワークや移住、副業を選択する人が増えていく中で、将来的には企業や組織に属する働き方だけにとどまらず、一人ひとりがそれぞれの強みを生かし、さまざまなプロジェクトにアサイン（任命）される「参加型」の働き方へと変わっていく、という見方も強まっています。では、そのような働き方にシフトすることで、どんな「いいこと」があるのでしょうか。

まず、自分の好きな時間に働くことが日常になります。満員電車での通勤からも解放されますね。さらに、自分の好きなことを仕事にできるようになり、得意なことも生かせるようになるでしょう。そうすれば、「今、勤めている会社が倒産したらどうしよう」「派遣切りやリストラにあったら生活していけなくなるかも」といった不安からも抜け出せる上に、やりがいのない職場、ストレスフルな人間関係にしがみつく必要もなくなります。結婚や子育てなど、ライフスタイルの変化がキャリアに大きく影響を与える女性の場合、「私の強みは○○だから、それを生かしてずっと働いていくことができる」と、社会的状況に左右されることなく、自分軸で働き方を選び取ることもできるでしょう。

ただ、そんな自由な働き方を手に入れるためには、仕事である以上、次のようなスキルが不可欠になっていきます。たとえば、

- さまざまな仲間や人と関わるスキル
- 自分のできること、できないことをはっきりと伝えるスキル
- 納期や目標からブレずに、ゴールまで案件を推進できるスキル

「そう言われると、どれもハードルが高くて自分にはムリ……」と思ってしまったあなた。いいえ、大丈夫です！　なぜなら本書を読むことで、あなたが今まで気づいていなかった自分の強み（&弱み）がわかり、周囲の人のいいところ（&欠点）も知り、さらには仲間とともに優秀なチームをつくってプロジェクトを成功に導くことが可能になるからです。

「ディーセント・ワーク」とは、自分を知ること

私が関わるNPO団体では、「ディーセント・ワーク」という考え方を大切にしています。ディーセント・ワークは、「働きがいのある、人間らしい仕事」と訳され（1999年の第87回国際労働機関総会に提出された言葉）で、SDGsの8番目のゴールにも掲げられています。

私たちはこの言葉をもう少し掘り下げて、「**自分らしく働くために、働き方をカスタマイズすること**」と意味づけています。

「自分らしく働くって、どういうことだろう?」という問いに対しては、「**今の自分が、いちばん心地のいい状態でいられる働き方**」というのが答えです。なぜなら、どんなに意義があり、収入が高く素晴らしい仕事であったとしても、関わる自分が「らしく」ない、ムリを強いられ

る働き方なのであれば、それはディーセント・ワークとはいえないからです。だからまずは、自分がいちばん、いい形でいられる状態を知りましょう。ディーセント・ワークとは、そのために必要な「自分を知るツール」として、理解していただけたらと思います。

本書では、13ページからの自分を探る診断ワークによって、代表的な3つのタイプの中から自分や周囲の人の特性を客観的に理解できるしくみになっています。そして、個性や価値観の違うメンバー同士でも、最高最強のチームビルディングができるよう、サポートをしていきます。

障がい者支援でわかった、大切なこと

市役所や区役所などで、障がいのある人がつくったお菓子、小物などを販売しているスペースを見かけたことがあると思います。誤解を恐れずにいえば、商品価値としては、アマチュアの領域を越えていないものではなかったでしょうか。2009年頃、障がいのある人の全国平均賃金は、月収で約1万2千円でした。私は福祉の専門家として、そのような障がい者を取り巻く環境に、大いに疑問を感じていました。

低賃金もさることながら、「障がい者は守るべき人たちであって、働かせる必要はない」という価値観が根強く残っていることにも、違和感を覚えていました。それは、**「誰もが当たり前に、働く権利をもっている」**という視点とは対極のものだからです。その後、2006年に障害者権利条約が国連で採択されたのですが、日本では遅れて2014年に批准《ひじゅん》。権利条約に則《のっと》ってさまざまな制度改革が行われました。企業における障がい者雇用もますます進められているものの、「その人らしく働く」という意識の部分においては、いまだ多くの課題が残っています。

そういった現状の中、私は自身のNPOを通じて、障がいのある人の働きがいを高めるプロジェクトを仕掛けていきました。この団体では、障がいのある人が社会の中で働きがいを得られるサポートとして、大小さまざまなプロジェクトを立上げ、人材マッチング等を行っています。「本格的なスイーツやデザイン小物をつくるのはムリだろう」という福祉の現場の声を説得しながら、パティシエの方や百貨店の担当者、デザイナーなど、各ジャンルのプロフェッショナルを巻き込みながら、障がいのある人とともにクォリティの高い、相応の価格にふさわしい商品開発を実現しました。規模は大小さまざまですが、これまで立上げたプロジェクトは300以上に登ります。ともに強みを発掘していく中で、障がいのある人にも自信が生まれ、実際に道が開けていく瞬間を何度も目の当たりにしました。

当然、それぞれのプロジェクトには多くのトラブルが起こりました。意見のぶつかり合いや人間関係のトラブルなど、プロジェクトが立ち行かなくなることはしょっちゅう。でも、そんな時の突破口となったのが、先の「ディーセント・ワーク」だったのです。3つのタイプから、自分と他者を理解し、チームづくりをすることで、難航していたプロジェクトは一気に進み出しました。

「働きづらい」という苦しみにおいては、障がいのある人もない人も、似た状況下にあると思います。**ディーセント・ワークは障がいのある人と働くために生まれた方法ですが、障がい者だけではなく、すべての人の働き方に応用できると確信し、実際にさまざまな企業や職場で効果を上げてきました。自分の強みという武器を使い、他者とコミュニケーションをとること。するとと職場やプロジェクト内での人間関係はがぜんスムーズになり、その結果、あなたの仕事のクォリティも確実に上がっていくはずです。**

本書のディーセント・ワークを活用していただくことで、あなたの毎日が働きがい、生きがいに溢《あふ》れるものとなりますよう、心からお祈りしています。

もくじ

第2章
あなたは何タイプ？
～働き方は３タイプ～

第3章
相性を知ろう
～ 上司・部下・仲間として ～

第1章

まずは、自分のタイプを知ろう

～働き方タイプ診断ワーク～

仕事のトラブルの9割は、「自分を知らないこと」で起こる

あなたがこれまで、「働きづらい」「生きづらい」と感じていたのは、「自分のことをよくわかっていないことが原因」とお伝えしました。私がさまざまなプロジェクトに関わる中でわかったのは、ほとんどの人が、「自分にあった働き方を知らない」ということ。企業も含めたいろいろな場所でキャリア・カウンセリングを行うことがあるのですが、**さまざまなお悩み、トラブル相談の約9割は、まさに「自分がわかっていない」ということから起こっていました。**

たとえば、こんなご相談がありました。プロジェクト・リーダーのA子さんは、B社に発注した作業が想定よりも期間が長引き、内容も増えたことから、「見積もりで合意した金額よりも上乗せしてもらえないか」という希望を伝えられました。B社はプロジェクト以前からお世話になっている外注先であることから、A子さんは、数字には厳しいことで有名な、苦手な上司にかけあったそうです。すると、

「そんな理由だけで決済できるはずがないだろう。もっとプロジェクトの責任者らしい報告をしなさい！」と、にべもなく却下されたとか。「どうしてわかってくれないんでしょう！」と憤るA子さんですが、私は、「上乗せの理由について、上司にはどのように伝えたのですか？」と聞きました。すると、返ってきたのは、次のような答え。

「作業量がかなり増えてしまったので、今の金額では申し訳ない。お世話になっているし、悪いじゃないですか！　と言いました」

（…あぁ、なるほど）と、私は二人のすれ違いの原因をすぐに理解しました。

この事例は、A子さんと上司が、自分でも気づいていない「最優先事項」（固執していること）について、価値観がまったく違うことに起因します。A子さんが優先しているのは「B社との信頼関係」で、上司が優先したのは、「当初の金額と、かかった作業量から換算した適正な上乗せ価格の報告」だったわけです。このように、**同じ目的で働く者同士でも、「こだわっていることがまったく違う」状態では、お互い違う言語で話しているようなものです。**たとえ職場や相手が変わっても、物事が起こる度に右往左往し、似たようなトラブルを繰り返してしまうのです。

さて、あなた自身や周囲の身近な人は、どんなことを大切にして、どんなことにこだわりをもって働いているのか、だんだん知りたくなってきませんか？　次ページからのワークで、今まで気づかなかった、あなたや周囲の人の考え方のクセ、行動パターンなどを読み解いてみましょう！

ではさっそく、実際のプロジェクト・ストーリーから、あなたや身近な人の働き方タイプがわかる診断ワークを始めましょう！

13のビジネスシーンでわかる！働き方タイプ診断ワーク

あなたは、通常抱えている仕事に加えて、新しく立ち上げるプロジェクトの責任者に選ばれました。「ただでさえ忙しいのに」「自分は成果を出すことができるんだろうか」「でも、成功すればキャリアアップにつながるなぁ」「最後までやり抜くことができるだろうか」など、いろいろな思いが沸《わ》き起こってきます。

これから始まるワークでは、スタートからプロジェクト終了まで、13のさまざまな想定シーンに直面します。あなたならその時、どのような選択をするでしょうか？

ワークのやり方

（22ページ～）

1 まずは「あなた自身」についてワークを、行いましょう。右ページにある、社内やプロジェクトで起こりがちな想定シーンを読んでください。

2 想定シーンは **13** あります。左ページの選択肢のなかからそれぞれ「自分ならこうする」と思う記号を選んで□に記入してください。あまり深く考えず、直感で選んでください。

3 あなた自身について、**13** のシーンすべて答えたら、次にあなたが気になる上司、部下、仲間など、身近な人たちについて１人ずつ、「この人はこうするだろうな」と思う記号を選んでください。

4 **2** と同様に、左ページの該当する枠内に、選んだ記号を書き入れてください。

5 続けて気になるほかの人についても、最後までやってみましょう。

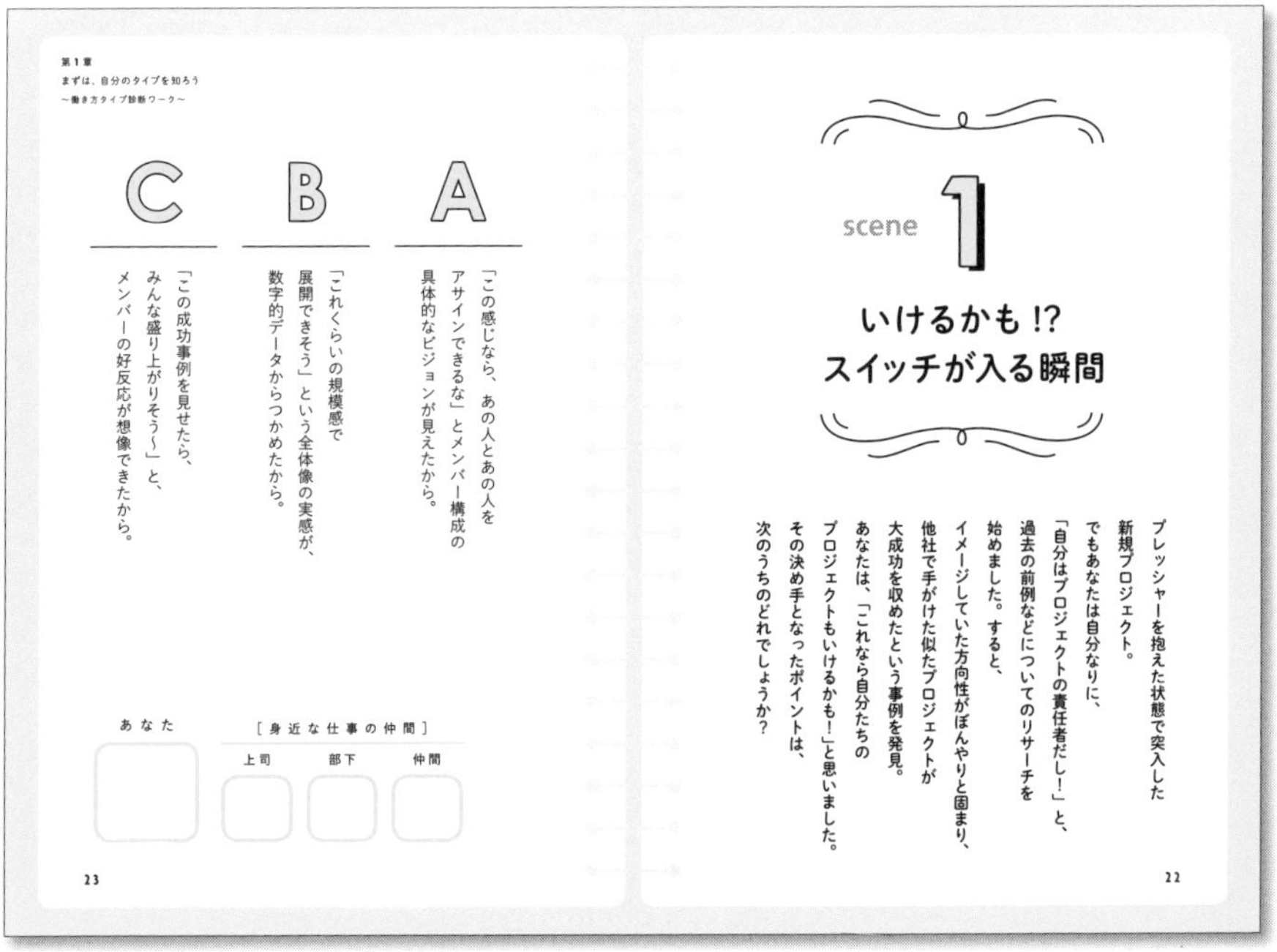
scene 1

いけるかも!?
スイッチが入る瞬間

プレッシャーを抱えた状態で突入した新規プロジェクト。
でもあなたは自分なりに、「自分はプロジェクトの責任者だし!」と、過去の前例などについてのリサーチを始めました。すると、イメージしていた方向性がぼんやりと固まり、他社で手がけた似たプロジェクトが大成功を収めたという事例を発見。
あなたは、「これなら自分たちのプロジェクトもいけるかも!」と思いました。
その決め手となったポイントは、次のうちのどれでしょうか?

22

第１章
まずは、自分のタイプを知ろう
～働き方タイプ診断ワーク～

A
「この感じなら、あの人とあの人をアサインできるな」とメンバー構成の具体的なビジョンが見えたから。

B
「これくらいの規模感で展開できそう」という全体像の実感が、数字的データからつかめたから。

C
「この成功事例を見せたら、みんな盛り上がりそう～」と、メンバーの好反応が想像できたから。

あなた

［身近な仕事の仲間］
上司　部下　仲間

23

集計のやり方

（48ページ〜）

［自分のこと］

48 〜 **49** ページの表を見て、**13** のシーンそれぞれについて、あなたが選んだ記号に○をつけていきましょう。

13 のシーンすべてについて、選んだ記号に○をつけ終えたら、３タイプ（**研究者・メンター・No.２**）それぞれの○の数の合計を□の中に記入していきましょう。○の数がいちばん多かったタイプが、あなたのタイプになります（２番め、３番めに多かったものも、○の数に比例して、あなたの中にある要素といえます）。

［身近な人たちのこと］

「自分のこと」と同様に **50** ページにある、「上司・部下・仲間」のタイプ別診断をしましょう。○の数がいちばん多かったタイプが、その人のタイプになります。

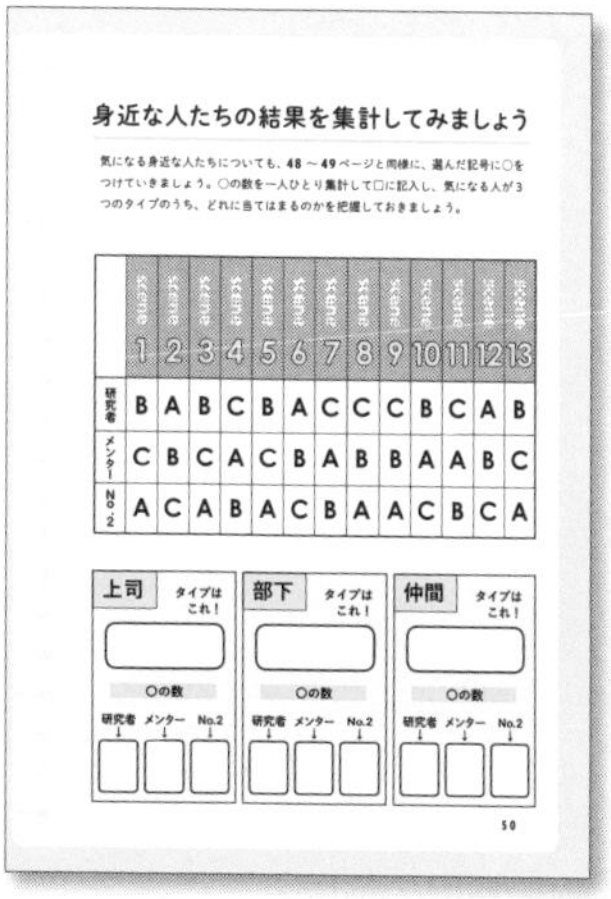

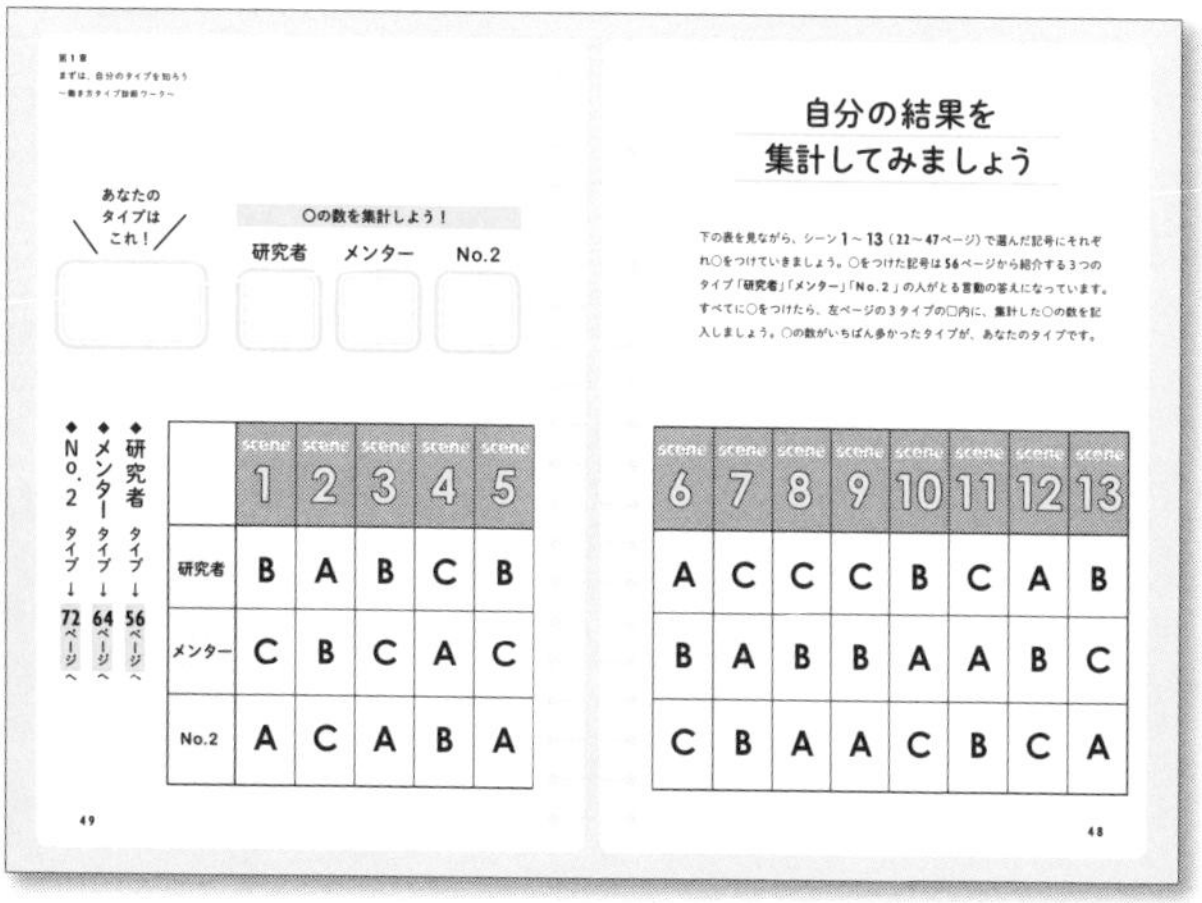

scene 1

いけるかも!?
スイッチが入る瞬間

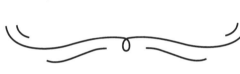

プレッシャーを抱えた状態で突入した
新規プロジェクト。
でもあなたは自分なりに、
「自分はプロジェクトの責任者だし!」と、
過去の前例などについてのリサーチを
始めました。すると、
イメージしていた方向性がぼんやりと固まり、
他社で手がけた似たプロジェクトが
大成功を収めたという事例を発見。
あなたは、「これなら自分たちの
プロジェクトもいけるかも!」と思いました。
その決め手となったポイントは、
次のうちのどれでしょうか?

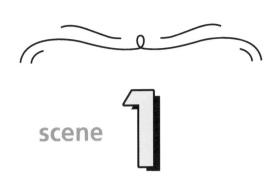

A

「この感じなら、あの人とあの人をアサインできるな」とメンバー構成の具体的なビジョンが見えたから。

B

「これくらいの規模感で展開できそう」という全体像の実感が、数字的データからつかめたから。

C

「この成功事例を見せたら、みんな盛り上がりそう～」と、メンバーの好反応が想像できたから。

あなた

［身近な仕事の仲間］

上司　部下　仲間

scene 2

キックオフ懇親会！

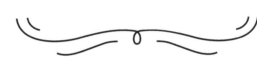

いよいよ、今日は
プロジェクトのキックオフの日。
あなたの仕切りによって、
多くの関係者（関連会社やメンバーなど）が
一堂に会し、懇親会が始まりました。
たくさんの人が出席しているので、
今の段階ではまだ、
どの人がプロジェクト成功の
キーマンとなるのか、よくわかりません。
そこであなたは、集まった人々に対して
どのような行動をとりますか？

A

はじめのうちは静かに座って、全体を見回しながらどういう人たちがいるのか人間ウォッチング。「この人！」という人を見つけたら、細かい点についてあれこれ質問しに行く。

B

「この人たちと組んだら、どんな化学反応が起こるんだろう」と、わくわく楽しい気持ちになる。一緒にプロジェクトを楽しめそうな人は誰か、盛り上がっている人などを探す。

C

「気になるあの人に挨拶をして、名刺をもらっておこう！」戦略的な人脈づくりをしようと、とにかく動く。ピンポイントで次々にアタック！

あなた

［身近な仕事の仲間］

上司　部下　仲間

scene 3

停滞からの突破口

あの懇親会から1ヶ月が過ぎました。
あなたは「絶対に成功させたい！」と
モチベーションを高めながら、
メンバーと共に新しいプロジェクトの
準備を行ってきました。ところが
2ヶ月目に入り、進行が滞りがちに。
メンバーそれぞれ、べつの仕事が忙しく、
スケジュールに遅れが生じています。
先行きが見えない状況に不安になった
あなたですが、ある日、ある人に会い、
その人との会話から突破口が見えました。
あなたにとって、その突破口になった
会話とは次のうちのどれでしょう？

A

「○○社の××さんに相談するといいよ」と、次の動き方について具体的なヒントをもらった。障害になる人や物事がなく、実現できると思った。

B

安くて早い、コストパフォーマンスの高い前例を教えてもらった。「このやり方をマネて、成功パターンの仮説を立ててみよう!」と思った。

C

このプロジェクトに関心をもっているという外注先を紹介してもらった。話しているうちに共感が生まれ、物事が前に進む感覚をつかんだ。

あなた

［身近な仕事の仲間］

上司　部下　仲間

scene 4

スポンサーからの長いメール

滞っていたプロジェクトですが、
なんとか進み出し、ホッとしたのもつかの間。
スポンサー会社の人から、結構長めの
クレーム対応のメールが飛び込んできました。
「早めに調整したいので、
C社とD社それぞれの担当者に
了解をとって、明日までにまとめてほしい」
とのこと。忙しい中ですが、
これは今日の第一優先事項です。
さて、あなたはこのメールの対応で、
どんなことを優先しますか?

A

「この場合、どの人の顔を立てるのがベストか」、すべてがいちばん丸く収まる方向を考える。

B

返信する前に、直感的にまずは自分が気になる人に電話をしたり、会いに行ったりする。

C

短文でもいいから、まずは返信することを優先する。

あなた

［身近な仕事の仲間］

上司　部下　仲間

scene 5

決断の際に重視することは？

今回のプロジェクトには、
半年かけてトライアルでやってきた
A案とB案の2案があります。
さて、そろそろどちらか1つに
選ぶべき時期がやってきました。
重要な判断を迫られています。
その際、あなたが選択のポイントに
することは次のうちどれですか？

A

具体的に「一緒に動いてくれる人、アイディアをもらえる人がいるのはどちらの案か」を見極めて選ぶ。

B

「そもそもこのプロジェクトの目的に合っているのはどっちだ?」という論理的な視点で、本筋からよりブレていないほうを選ぶ。

C

プロジェクトのメンバーが賛成してくれそうな案はどちらかをまず考える。「メンバーにどう話をもっていけばいいか想像できるし、そのほうが自分も安心」

あなた

[身近な仕事の仲間]

上司　部下　仲間

scene 6

トラブル発生！

紆《う》余《よ》曲《きょく》折《せつ》ありつつも、
1週間後にはいよいよ、
社内で新プロジェクトを披露する
プレゼンテーションを
行うことになりました。
ところが、そんなさなかに
大きなトラブルが発生！
目玉となる商品の画像に
スポンサーのチェックが入り、
撮り直しとなってしまったのです。
そこであなたが最初にとる行動は、
次のうち、どれですか？

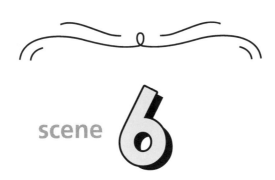

A

なぜ撮り直しになったのか、情報収集にいち早く動く。

プロジェクトメンバーに対しては、

「以前、こういう解決をしたこともあるから」

と、冷静に対処方法を説明する。

B

ショック。「どうしよう!?」という気持ちが先に来る。
困っている人、傷ついているであろうメンバーの
ことが頭に浮かび、その人たちの感情のケアに向かう。
揉《も》めている人がいれば、仲介する。

C

まず現場に行き、なるべく先入観を入れず、
トラブルの状況と周囲の人の話をヒアリングする。
メンバーには「まずはここから解決しよう」と
具体的に指示を出す。

あなた	［身近な仕事の仲間］		
	上司	部下	仲間

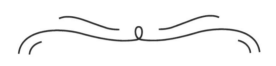

scene 7

ネガティブな時、どうなる？

前回の大きなトラブルが尾を引いて、
現在もプロジェクトの進捗が遅れています。
失敗続きのせいか、プロジェクトの
メンバーもテンションが上がらず、
スランプからなかなか
抜け出せそうにありません。
このようなネガティブで
コンディションの悪い時、あなた自身は
どのような状態に陥りがちですか？

A

「自分はどう思われているか」
「○○さんにどう思われているか？」など、
周囲の人たちの反応をぐるぐる考えてしまう。

B

「どうすればポジティブな展開に
戻すことができるか」
を行動しながら探る。

C

「前に見た成功事例のように
もっていくには、どうすればいいか？」を、
頭の中でプランニングする。

あなた

［身近な仕事の仲間］

上司　部下　仲間

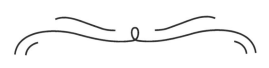

scene 8

キャパオーバーになった時

落ち込んでいるヒマもなく、
なんとかプロジェクトは回り始めました。
一方、プロジェクトに注力しているうちに、
本来の業務のタスクが
どんどん溜まってしまっています。
やってもやっても終わらない……。
さてそんな時、あなたがとりがちな
言動は、次のうちのどれでしょうか。

A

「ちょっと大変になってきたな。
あの件は部下のYくん、
この件はフリーランスのMさんにお願いしよう」

B

「うわー！　これ全部、納期に間に合うかな？
迷惑かけちゃうから、
なんとか自分でやってしまおう」

C

「これ以上のタスクがきたら、
〝今、自分はこれとこれを抱えているのでムリ〟
と言って、はっきり断ろう」

あなた

［身近な仕事の仲間］

上司　部下　仲間

scene 9

部下の評価はどうする？

これまで、いろいろなプロジェクトの失敗がありました。

その原因には、メンバー内の部下が起こしたミスもいくつかありました。

そこで上司から、

「なぜこのミスが起こってしまったのか」を振り返るとともに、

「部下の仕事ぶりを評価をしてほしい」と、依頼がきました。

さて、あなたは部下の仕事ぶりについて、どんなことを重視して評価をしているでしょうか？

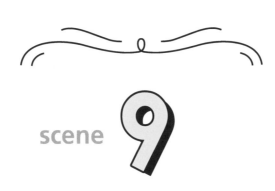

A

案件に対して、
どれくらい行動、
実行しているかどうか。

B

プロジェクトを進めるために、
どれくらい周囲と
協調性がとれているか。

C

ひとつひとつの案件の中で、
根拠をもとに実際にどんな結果を
出しているか。

あなた

［身近な仕事の仲間］

上司　部下　仲間

scene 10

部下の育成はどうする？

前回、部下の評価を行ったことで、
今後の課題もいろいろと見えてきました。
たくさんの仕事を抱える中ですが、
プロジェクトを進めながら、
あなたは同時に部下の育成も
しなければなりません。
さて、実際に部下を指導する際、
あなたが重視するポイントは
次のうちどれでしょうか？

A

部下の話をよく聞いて、強みや得意なことなど、キラリと光るポジティブな面を探そうとする。

B

その部下の強みだけではなく、弱い部分を客観的に見極めて、何を教えるかを考える。

C

「ここを教えたい」と自分が思ったことを、実際にやってみせて、本人にもやらせて育てようとする。

あなた

［身近な仕事の仲間］

上司　部下　仲間

scene 11

気持ちが上がるのはどんな時？

ここまで、いろいろなことがありました。
長いトンネルを抜けて、最近はようやく、
スポンサー会社やクライアントからの
手応えを感じられるようになってきました。
本当に、お疲れさまです。
さてプロジェクトの責任者として、
あなたが喜びを感じたり、
「役に立った」と感じたり、
テンションが上がるのは次のうち、
どのような時でしょうか？

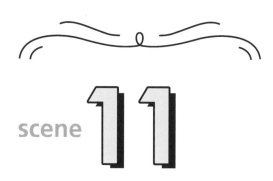

A

「みんなで一丸となれた！」と、
仲間と感情を共有していると感じる時。
また、自分のやる気スイッチを押してくれる
リーダーと出会った時。

B

「物事が順調に進んでいる」と実感し、
また、周囲の人から、「あなたの行動力や働きが、
こんなふうに貢献しているよ」と
認められた時。

C

自分の立てた戦略が順調に進んでいる時。
「自分のつくったこのしくみが、
プロジェクト推進の役に立っているんだ」と
感じられる時。

あなた

［身近な仕事の仲間］

上司　部下　仲間

scene 12

どう認められたら嬉しい？

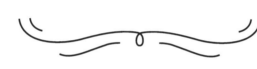

ついに、プロジェクトも
大詰めを迎えようとしています。
スポンサー、クライアント、メンバーも、
ここまでのプロセス、結果には
とても満足している様子。
大変な局面があっただけに、
あなたも感慨深い気持ちになりました。
「これぞ、自分が望んできた成果だ！」
「やった！」と、あなたがプロジェクトの
成功を実感できるのは、
次のうちのどのようなシーンでしょうか？

A

自分の知識や戦略で、
プロジェクトの課題が解決できた時。
「今回、なぜこの方法で役に立てたのか？」という
プロセスについて、具体的に言葉にしてもらえた時。

B

自分に対して、「○○さんがいてくれたから」などの
ポジティブな感情や言葉を伝えてもらえた時。
「自分は、上司や部下、仲間の役に立っているんだ」と
実感できた時。

C

自分が積み重ねてきた武勇伝を
フィードバックされた時。
リスペクトしているリーダーから、
存在を感謝されたり、認められたりした時。

あなた

［身近な仕事の仲間］

上司　部下　仲間

scene 13

自己評価をしましょう

大変だった今回のプロジェクトでしたが、
スタートから早1年が経とうとしています。
そこで2週間後、
プロジェクトの結果も含めて、
上司と「この1年間の総括をする面談」が
行われることになりました。
上司からは、「この1年間の働きを
自己分析するように」と言われています。
さて、あなたは自分を
どのように分析しますか？

A

いろいろ反省点はあるけれど、後悔することはない。
自分がどこまで行動できたか、
また「これはできなかった」という点を
分析する。

B

感情を排除して、
状況を冷静に分析しながら内省する。
同時に、自分の実績やつくったしくみによって出た
売上のデータをどうまとめると美しいかを考える。

C

その時のテンションが高ければ、自分にとって、
ポジティブな面を中心に評価することができる。
反対にテンションが低いと、
自分を責めてしまうなど、両極端になりがち。

あなた

［身近な仕事の仲間］

上司　部下　仲間

自分の結果を集計してみましょう

下の表を見ながら、シーン**1**～**13**（**22**～**47**ページ）で選んだ記号にそれぞれ○をつけていきましょう。○をつけた記号は**56**ページから紹介する３つのタイプ「**研究者**」「**メンター**」「**No.２**」の人がとる言動の答えになっています。すべてに○をつけたら、左ページの３タイプの□内に、集計した○の数を記入しましょう。○の数がいちばん多かったタイプが、あなたのタイプです。

scene 6	scene 7	scene 8	scene 9	scene 10	scene 11	scene 12	scene 13
A	C	C	C	B	C	A	B
B	A	B	B	A	A	B	C
C	B	A	A	C	B	C	A

あなたの
タイプは
これ！

○の数を集計しよう！

研究者　メンター　No.2

◆研究者タイプ↓56ページへ
◆メンタータイプ↓64ページへ
◆No.2タイプ↓72ページへ

	scene 1	scene 2	scene 3	scene 4	scene 5
研究者	B	A	B	C	B
メンター	C	B	C	A	C
No.2	A	C	A	B	A

身近な人たちの結果を集計してみましょう

気になる身近な人たちについても、**48 ～ 49**ページと同様に、選んだ記号に○をつけていきましょう。○の数を一人ひとり集計して□に記入し、気になる人が3つのタイプのうち、どれに当てはまるのかを把握しておきましょう。

	scene 1	scene 2	scene 3	scene 4	scene 5	scene 6	scene 7	scene 8	scene 9	scene 10	scene 11	scene 12	scene 13
研究者	B	A	B	C	B	A	C	C	C	B	C	A	B
メンター	C	B	C	A	C	B	A	B	B	A	A	B	C
No.2	A	C	A	B	A	C	B	A	A	C	B	C	A

上司

タイプはこれ！

○の数

研究者↓ メンター↓ No.2↓

部下

タイプはこれ！

○の数

研究者↓ メンター↓ No.2↓

仲間

タイプはこれ！

○の数

研究者↓ メンター↓ No.2↓

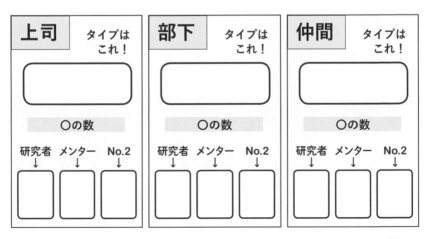

第2章

あなたは何タイプ？

～働き方は3タイプ～

つい「とらわれてしまうこと」で、その人のタイプはわかります

第1章のワークの診断結果はいかがでしたか？　あなたや身近な周囲の人は、何タイプでしたでしょうか？（**49～50**ページの結果を参照してください）

このワークから導き出した3つのタイプは、人の思考パターンをベースに、心理学などで専門的に研究されているものです。ただ、この3つのタイプの人たちが、「どういう部分を生かし、どういう部分に気をつけると、今よりももっとパフォーマンスが上がり、働きがいが生まれ、幸せになるか」という観点で語られたことはあまりありません。しかし私はこの3つのタイプを、ディーセント・ワークの考え方に当てはめて、実際に数々のプロジェクトで成果を収めてきました。

第1章で実践していただいたワークは、とあるプロジェクトを例に、その人がどんな考え方や行動をとるのかで、3タイプの結果がわかるようになっています。

読者の方も、このワークを進めるうち、自分の選ぶ回答に、ある一定のパターン

があることに気づいたのではないでしょうか。種明かしをすると、この3タイプの人それぞれが、つい「とらわれてしまうこと」がキーになっています。

そのキーとは、3タイプ別に次のようなものです。


研究者タイプ……数字やデータにとらわれてしまう。

メンタータイプ……感情、周囲の反応にとらわれてしまう。

No．2タイプ……自分がどう動くか、行動にとらわれてしまう。


（あぁ、なんとなくわかるような……）と思いませんでしたか？　わかりやすいので、あえて「とらわれている」という表現をしましたが、これは表裏一体で、「強み」「得意分野」とも言い換えることができます。たとえば、

研究者タイプ……過去のデータや前例をリサーチして、目指すゴールまでの戦略を立てることが得意。

メンタータイプの人……職場やプロジェクト等の潤滑油として、人と関わるのが

得意。

No．2タイプの人……現実的にどう進めていけばよいか、行動に移すのが得意。

3タイプの中の誰が「いい・悪い」とか、「優れている・劣っている」ということではありません。むしろ、職場やプロジェクトでは、この3タイプみんなが必要。いい悪いでジャッジすることなく、**自分の強みを今の仕事にどう生かせば、あなたは働きやすくなるのか。そのためのヒントにしていただきたい**のです。さらに周囲の人とは、それぞれが欠けている部分を補い合い、有機的につながることで、最強のチームになっていくことができます。

まずは自分を知るために、あなた自身が当てはまるタイプについて読んでみてください。そして次に、周囲にいる人のタイプも読んでみましょう。きっと、「あぁ、だから自分はいつも、そこで壁にぶつかるんだ」とか、「だからあの人とは、いつも意見が合わないんだ」など、これまで、なぜかうまくいかなかった背景が見えてくるはず。自分自身、そして周囲の人の強みと弱み、考え方のクセを理解することで、苦手だったこと、苦手だった人の対処方法がわかるようになるでしょう。

それぞれがそれぞれの強みと弱みを認め合い、補い合っていく。すると、そこで化学反応が起こり、どんな職場やプロジェクトでも、一人ひとりが力を発揮できるようになっていくのです。

過去のデータは？成功事例は？
知識が増えて、嬉しい！

研究者

タイプはどんな人？

数字＆データ命！の戦略家

KEY WORD　この人を理解するためのキーワード

数字、データ（過去のデータにもとづく）、戦略、情報、過去の前例、知識、原因・結果の追求と改善、論理性、客観性、公平さ、しくみづくり、事実と感情の切り分け

研究者

数字にとらわれている

思考や知識のエネルギーが強い人です。「静」か「動」かでいえば、「静」の人。じっとデスクに座って、ひとりデータを見ながら戦略を考えているようなイメージです。**知識と情報を得ることや、難しいことを理解すると、とてもわくわく**します。データや情報を求める傾向が強く、数字や過去の成功事例、誰かの言葉など、より根拠にもとづいたものであればあるほど、心が動きやすくなります。ただし、それらの情報や自分の思考にとらわれすぎてしまうと、そこから外れることや、大胆な方向転換をすることがなかなかできません。そのため、面白みに欠ける結果になりがちです。

客観的な視点の持ち主で、物事を合理的に、的確に判断することが得意。感情に左右されることなく、仕事やプロジェクトの着地点を見定めることができます。ムダを嫌うので荷物はいつも少なめ。

研究者 タイプ

強み

答えを教えてあげられる人です。公平に、客観的な視点から俯瞰《ふかん》して見ることができるので、仲間やチームが道に迷った時も横道に逸れず、みんなが腑に落ちる方向性を示してあげることができるでしょう。つねに頭の中でさまざまな分析をしているため、ビッグデータの解析が得意。**起こった事実から、「次はどうするか」を組み立てられる**のもこのタイプならでは。

弱み

「過去の前例が見つからない」など、情報が少ないと、とたんに不安になってしまいます。そうなると、まわりのアイディアに対しても、「それって本当にできるのかな」「やったことがないからできません」などのネガティブ発言が増えてしまいます。この「前例がないものはやらない」というお役所的な言動で、周囲のモチベーションを下げてしまうことも……。

イキイキできる働き方＆ポジション

営業職でいうと、「分析」をすることで成果を上げていくタイプ。マーケティングの目線で過去の売上ベースやライバル社の前例を分析。その数字から戦略を立てていきます。エクセルを駆使して、細かく詳細なデータをつくるのも得意。スポーツチームにたとえると、戦術家のポジション。対戦相手のウィークポイント、実績を調べあげて、勝ち方を考えていきます。

各年代で必要なこと

20代

「チームとは何か」「仕事とは、他者と関わりながら共にやっていくもの」ということを客観的にとらえて、知識として学ぶ。まずは「優れたチームプレイヤー」になることを目指すトレーニングを積む。その上で、「自分は個人プレーが得意」と認識し、それができるポジションにつけるよう、スキルを積む。

30代

他者のことを考えながら、チームに貢献する伝え方を学ぶ。チームの中の自分のポジションを認識する。他者に伝える時は、自分のこだわりの部分だけではなく、相手の特性を理解した上で、「自分は～が得意なので、こういう部分でサポートします」と、分析したからこそ伝えられる表現を目指す。

40代

個人プレーをさらに高めるフリーランス的な働き方をするか、チームプレイヤーとしてプロジェクトに貢献する働き方をするか、自分らしい働き方の着地点を見極める。希少性、価値の高い成熟した情報を集めるスキルを高めて、結果を出し、さらに後輩の育成やサポートができるようになる。

13のビジネスシーンから、自分を知るためのワーク（22ページ）

研究者タイプの人が選びがちな回答はコレ！

◆シーン1【いけるかも!? スイッチが入る瞬間】……B

他社の前例などでうまくいったケースを知ると、その成功法則から、「これならできそう」とGOを出すことができます。未来ではなく過去のデータからとらえて、次の展開のヒントを得ると、やる気スイッチが入ります。

◆シーン2【キックオフ懇親会！】……A

有益な情報を得られるかどうかに重きを置きます。ただたんに、わーっと盛り上がって終わる、ということはありません。名刺交換の際も、相手のポジションなどをチェックして、ビジネス戦略を立てていきます。

◆シーン3【停滞からの突破口】……B

自分が知り得た情報と現実が合致した時に、研究者タイプはモチベーションが高まります。それはどんな小さなことでもよく、その積み重ねが自身の成功体験につながります。**「コスト的に見合う」**というのは、まさに大好物。

◆シーン4【スポンサーからの長いメール】……C

スポンサーやクライアントなど、関係性が重要な相手でも、行間を読まず、結論だけをメールに書いてしまいがち。「早く、短く、完結に」を求める相手にはいいが、丁寧なやりとりを求める相手には、言葉足らずに映ってしまうことも。

◆シーン5【決断の際に重視することは？】……B

そもそも、このプロジェクト（仕事）の目的・着地点に合っているのか、目的から外れていないかどうかを重要視します。ただ、前例に沿って選ぶことが多いので、毎回似たような仕上がりになってしまうのが玉にキズ。

◆シーン6【トラブル発生！】……A

起こった出来事と感情を切り離せるため、解決方法について冷静に、論理的に周囲に伝えることができます。お得意のデータ収集力で成功法則のテンプレートをもっていて、「こうすれば大丈夫」という**仮説立案能力**にも長けています。

◆シーン7【ネガティブな時、どうなる？】……C

本来は、停滞から抜け出すために使うはずのデータや前例なのに、「こうならないとだめだ！」と頭で考えすぎてしまいます。自分が今、データにとらわれすぎて、情報に溺れていることに早く気づくことが大切。

◆シーン8【キャパオーバーになった時】……C

そもそも、自分の状況について俯瞰で把握しているので、キャパオーバーになること自体が少ないです。もしそうなったとしても、感情に振り回されないので、迷いなく「今はできません」と断ることができる人です。

◆シーン9【部下の評価はどうする？】……C

3タイプ中、もっとも公平な目をもつ人です。たんに成果だけではなく、「やっているか・いないか」をいちばんよく見ています。ただ、はっきりストレートに物を言いすぎるので、部下のタイプによっては注意が必要。

◆シーン10【部下の育成はどうする？】……B

能力に応じて、部下には公平に仕事をふっていきます。育てる時は、まずどこを伸ばすか、これまでのやり方をベースに、ちゃんとしたマニュアルをつくるところから指導を始めることが多いです。

◆シーン11【気持ちが上がるのはどんな時？】……C

成功要因について、具体的に褒められた時。あまり言葉に乗せられるタイプではありませんが、「あなたの情報が役に立ちました」「今回はあなたの戦略勝ちですね」などのフィードバックにはテンションが上がります。

◆シーン12【どう認められたら嬉しい？】……A

自分の考えた戦略や知恵が、仕事の課題に対してどう使われたか。その結果、「どういう部分に結びついて、よかったのか」など、具体的に認められると腑に落ちます。反対に、具体性のない褒め方、おべっかはこの人には通用しません。

◆シーン13【自己評価をしましょう】……B

自身の評価について、フラットに淡々と述べます。この人が客観性を見失うのは、本人のこだわりの部分。「それはあなただけのこだわりで全体には関係ないです」と言われそうな細かい部分で、自己満足に走ってしまうことも。

○○さんは
どう思う
だろう？
なるべく丸く
収めたい

メンター

タイプはどんな人？

人と関わるのが大好き！な ムードメーカー

KEY WORD　この人を理解するためのキーワード

共有、コミュニケーション、潤滑油、
励まし役、慰め役、想像力、感情で導く、
ヒアリング、空気・顔色を読む

メンター

感情にとらわれている

気持ちや感情のエネルギーが強い人。**人とつながることにわくわく**します。いい意味でも悪い意味でも、自分や他者の感情、気持ちにとらわれてしまいがち。他者の感情に敏感で、人の気持ちに影響を与えることに喜びを感じます。**人の気持ちに共感し、寄り添うことが得意。**トラブルが起こったり、プロジェクトが八方塞がりになったりした時は欠かせない存在。その気質がプラスに働くと、仲間やメンバーのモチベーションを高めて、チームの突破口を開く力になります。マイナスに働くと、自分を責めたり、自分を後回しにしてしまったり。結果、「自分は一体何をやっているんだろう？」と虚しくなってしまいます。ネガティブな局面では、感情の枝葉を切り落とすことがなかなかできずに、周囲を責めたり、振り回したりすることも。とはいえどんな職種でも、「人と関わる要素があるかどうか」が、この人にとってはとても重要です。

メンター
タイプ

強み

周囲を巻き込み、その気にさせます。うまくいかない時、停滞した時に、**みんなのモチベーションを上げていくのはこの人の役目。**数字などの過去のデータではなく、持ち前の想像力で未来を見て、みんながわくわくするような物語を紡ぎます。周囲のムードを敏感に察知し、対人トラブルなどの揉め事が起こると、「まぁまぁ」と、仲裁に入って収めることも得意。

弱み

〝感情〟という主観で判断するため、現実味に欠け、全体を俯瞰して見ることが苦手。まわりと調和がとれない状態がつらいので、人の反応を気にします。「みんなから反対されるかも」という妄想にとらわれると先に進めなくなることも。**自分と他者の境界線が曖昧《あいまい》**で、理解が得られないと、「どうしてわかってくれないのだろう」と思い悩んでしまいます。

イキイキできる働き方&ポジション

営業職でいうと、「広報」的なタイプ。クライアントやユーザーと向き合い、持ち前のトーク力でヒアリングすることができます。そうして〝取材〟しながら集めた要素から想像力をふくらませ、人と人をつないでいくことを得意とします。スポーツチームにたとえると、コーチのポジション。選手から話を聞き、モチベーションやコンディションを上げていきます。

各年代で必要なこと

20代

課題は、感情のコントロール。自分がどんな感情をもっているのかを認識した上で、「やるべきこと」と「感情」を切り分けるトレーニングを積む。「何を」「いつまでに」「誰と」など、優先順位を客観的につけることを学ぶ。仕事をひとりで抱えないよう、ヘルプやSOSを出せるようになる。

30代

引き続き、感情のコントロールを意識する。ポジションが変わることを受け入れる。後輩を育てたり、仕事を任せたりすることを学ぶ。人を成長させることで、チームに貢献する喜びを知る。コンディションが悪い時の、自分なりのリカバリー方法を知っておく。実際の仕事を通して、計画性や見通し力をつけていく。

40代

人と関わるスキルを高める。より現場で関わっていくのか、さらに業界を俯瞰し、発展させる働き方をするのか、自分らしい働き方の着地点を見極める。子育てや介護など、プライベートと仕事のボリュームについて、自分なりのバランスを獲得していく。自分のリカバリーやリフレッシュ方法をさらに深める。

13のビジネスシーンから、自分を知るためのワーク（22ページ）

メンタータイプの人が選びがちな回答はコレ！

◆シーン1【いけるかも!? スイッチが入る瞬間】……C

「みんなにどう思われるか」という、外から見られた自分を意識するため、自分の提案に対して、「仲間がいいねと言ってくれそう」と感じられると、やる気スイッチが入ります。自分の気持ちを後回しにしないよう注意。

◆シーン2【キックオフ懇親会！】……B

基本的に人と関わることが好きなので、懇親会のような、交流の場ではテンションが高まります。同じことを考えている仲間が見つかると嬉しく、出会いの化学反応を純粋に楽しみ、その場にいる人の様子にも気を配ります。

◆シーン3【停滞からの突破口】……C

何事も自分ひとりで抱えてしまいがちなメンタータイプは、理解を示してくれたり、協力してくれたり、交通整理をしてくれる人が見つかると、安心して先に進むことができます。**「共有」が大好物。**

シーン4【スポンサーからの長いメール】……A

「どの人の顔を立てるべきか」など、相手の立場、丸く収める伝え方を考えるので、返信までに時間がかかります。「相手がこんなふうに思ったらどうしよう」など、**取り越し苦労も多い**傾向。やたらとお詫び文を連発しないよう注意。

シーン5【決断の際に重視することは？】……C

「みんなが大事にしているのは、このポイントだよね」など、仲間の思いを選択のポイントとします。それぞれがもついいところを拾い上げ、アレンジをきかせるという、あわせ技をやってのけることもできます。

シーン6【トラブル発生！】……B

まずは全体を整えますが、じつは自分自身がいちばんショックを受けています。他の人のケアに走る前に、まずは自分の心のケアを。心が揺れたままで行動すると、それが他の人に伝染し、逆に周囲を不安にさせてしまうことに。

◆シーン7【ネガティブな時、どうなる？】……A

「あの人はきっとこう思っているはず！」など、脳内で妄想劇場を繰り広げ、事実とは違う世界をつくり上げてしまいがち。同じことをぐるぐる考え始めてしまったら、人の影響や情報をいったんシャットダウンするのがおすすめ。

◆シーン8【キャパオーバーになった時】……B

3タイプ中、もっともキャパオーバーになりがち。「急にお願いするのは悪いな」「全部、自分でやらなければ」と思っていませんか？　仕事の優先順位は「期日までに目的を遂行する」こと。そう考えれば、人に頼みやすくなります。

◆シーン9【部下の評価はどうする？】……B

協調性を重視するあまり、自分と波長の合う部下がよく見えて、無意識のうちにえこひいきしてしまうことが多いようです。**もともと人のいいところを見つけるのが得意**なので、自分とは違うタイプの部下にも関心をもちましょう。

◆シーン10【部下の育成はどうする？】……A

部下の強み、いいところを見出す能力が高い人です。その愛情の深さゆえに、いい意味でも悪い意味でも、過干渉になりすぎるのが玉にキズ。また、潜在的に苦手なタイプには冷たくあたってしまうことがあるので、気をつけましょう。

シーン11【気持ちが上がるのはどんな時？】……A

他者と共有できることが、メンタータイプにとって、いちばんの喜びになります。たとえ数字的な売上、外部からの評判などの結果がよくても、「チームの一体感」が得られないと、仕事としての満足感をいまひとつ実感できません。

シーン12【どう認められたら嬉しい？】……B

人からポジティブな言葉を向けられるほど、嬉しさが増していきます。「○○さんらしい」などは、自分が唯一無二な存在と感じられる言葉。「○○さんのおかげ」など、自分自身が役に立っていると思える言葉も、やる気の源に。

シーン13【自己評価をしましょう】……C

自己評価の目的は、あくまでも客観的な意見を聞くためのもの。主観的な答え合わせとは違うことを知っておきましょう。ポジティブとネガティブ、どちらにも偏らず、現実をフラットに見る習慣を身につけることが課題です。

No.2

タイプはどんな人？

とにかく行動！エネルギッシュな開拓者

KEY WORD この人を理解するためのキーワード

リーダーの補佐、実質的管理者、

身体、行動、現場、すぐやる課、現実的、

要点をつかむ、調整能力、シミュレーション

2

No.2

行動にとらわれている

身体、行動のエネルギーが強い人。**目的に近づくために動くことにわくわく**します。バッグンの行動力の持ち主で、基本はこの人が中心となって、案件やプロジェクトが実行に移されていくことが多いです。「静」か「動」かでいうと、「動」の人。動きながら考えるのが特徴で、つねに現場にいる人でもあります。自ら動けるところを探し、ひとつずつ着実にタスクを進めていきます。自分が動けない場合は、要点をまとめて仕事をふるなど、他者を動かしていくのが得意。

ただし、**何事も自分主義。**自分の興味関心の中から動きたいことを優先してしまうため、周囲と足並みが揃わず、ひとりで空回りしてしまうこともしばしば。自分が動けるポイントを見出せなくなると、とたんに元気がなくなり、まったく動けなくなってしまうこともあります。ひどい時は無気力になってしまう場合も。

No.2 タイプ

強み

前例のないことでも、「やってみないとわからないですよね」と、自らの行動力で周囲を納得させる人です。**遠い未来ではなく、近い未来を見ている**ので、仕事の進め方も現実的。「次の動き方が見えない」という仲間に対して、物事の進め方、段取りをわかりやすく整理し、指示を与えてくれます。リーダーがいても、実質的にプロジェクトを動かしているのはこの人です。

弱み

行動にとらわれているので、何事も自分よがり、**せっかち**になりがち。すぐに動くのはいいことではあるものの、「状況が整うまで待ってほしい」という、他の人のニュアンスをキャッチできません。自分の判断で勝手に動いてしまうことが多く、理解ある上司の場合はスムーズにいくものの、柔軟性のない職場では「そんなことは聞いていません」と却下されてしまう場合も。

イキイキできる働き方&ポジション

営業職でいうと、「御用聞き」タイプ。すぐに現場に直行し、その場で判断。必要なものを運んだり、みんなのために差し入れを届けたり、フットワークの軽さから、先方の社長など、お偉方に気に入られることもよくあります。スポーツチームにたとえると、補佐役。宿泊先や合宿の食事メニューを決めるなど、チーム全体のコーディネーター兼進行役です。

各年代で必要なこと

20代

「こういう人について行きたい」など、未来像を見せてくれるリーダーを早い段階で見つけて、自分の目標を定める。「仕事はチームで動くもの」「自分はチームの一員である」ということを現場で学び、「報告・連絡・相談」（ホウレンソウ）をとって動くことを実践していく。

30代

部下に動いてもらうなど、役割の変化に対して、仕事を楽しむコツを獲得する。さまざまな業種にネットワークを広げて、実際にその人脈を駆使し、後輩が働きやすくなる環境をつくる。現場の実務は後輩や部下に任せて、ネットワークのクオリティを上げていく。尊敬しているリーダーに認められるポジションにつく。

40代

30代で築いたネットワーク（外部、部下の集団等）を束ねて高い実績を上げ、プロジェクトや会社に貢献する。リーダーはいても、「実質、仕事を回しているポジション」と周囲から認識される。リーダーを支え、時にはハンドリングもできる、唯一無二の存在になる。

13のビジネスシーンから、自分を知るためのワーク（22ページ）

（22ページ）

No.2タイプの人が選びがちな回答はコレ！

◆シーン1【いけるかも!? スイッチが入る瞬間】……A

基本的に独立独歩で共感型の人ではありませんが、メンバーとスポーツチームのようなコンビネーションが組める予感があると、やる気スイッチが入ります。

◆シーン2【キックオフ懇親会！】……C

プロジェクトが動き、現実的な着地点が見えることを重視します。

ムダを嫌うため、「自分とプロジェクトにとって、うまくやっていけそうな人」をピンポイントで見つけに行きます。「この人とこの人をつなげると、結構面白くなりそうだな」と感じたら、その日のうちに連絡をすることも。

◆シーン3【停滞からの突破口】……A

キーマン、使えるソフトやアプリなど、「動き方の地図」を知ると、水を得た魚のように復活します。チェスの駒をリモートで動かしているようなイメージで、「誰に何を割り振ると、もっとサクサク動けるか」をつねに考えています。

◆シーン4【スポンサーからの長いメール】……B

メールの内容を直感的に読みとるので、「押さえておいたほうがいいこと」など、大事なことが抜け落ちてしまう場合が。自分の関心事だけでとらえていないか、自分よがりになっていないか、ひと呼吸おいて考えるクセをつけましょう。

◆シーン5【決断の際に重視することは？】……A

自分が行動できている、またはみんなが動いているシーンを想像できるかどうかが決め手になります。全部をイメージすることができなくても、「このポイントにフォーカスすればできる」という**突破口を見つけるのが得意**です。

◆シーン6【トラブル発生！】……C

トラブルが起こると、すぐに現場に飛んでいって、とても頼もしい動きができる人です。ただ、「ここで自分が動くのは正解かどうか」という視点が欠ける傾向が。他の人に行かせたほうがいいなど、チームの意見にも耳を傾けて。

2

◆シーン7【ネガティブな時、どうなる?】……B

「自分が対応できる」時はいいのですが、「自分に動く術がない」と思った時は、一転して貝になり、てこでも動かなくなってしまいます。あまりにもコンディションが悪い時は、一旦動きを止めてリセットすることが大事です。

◆シーン8【キャパオーバーになった時】……A

要点をつまんで、人に仕事をふる技術に長けているので、あまりキャパオーバーに陥ることがありません。むしろひとりで抱えている仲間には、「ここところをやっておけば、全部やらなくても大丈夫だよ」とアドバイスするのが得意。

◆シーン9【部下の評価はどうする?】……A

現実に即した評価をします。つねに動いている人や、自分にアクションを起こす人を高く評価する傾向があります。「現場以外で仕事をしている人」など、自分とは違う働き方の人に対しても、もっと理解を深めていきましょう。

◆シーン10【部下の育成はどうする?】……C

部下から相談や質問をされると張り切って指導するなど、**親分とか棟梁、姉御肌**的なキャラを発揮します。ただ、弟子愛が強くなりすぎると、「自分の思い通りにしたい」という支配欲が出て、コントロールしてしまうので要注意です。

◆シーン11【気持ちが上がるのはどんな時？】……B

プロジェクトが八方塞がりになるなど、「停滞」がもっともテンションが下がってしまう人なので、「すべて順調に進んでいる」と実感できるとイキイキします。

また、「ついていきたい」と感じるリーダーとの出会いも気持ちが上がります。

◆シーン12【どう認められたら嬉しい？】……C

「あの案件の動きは早かったですね！」など、自分が行動してきた**武勇伝のフィードバックが大好物**。リーダーはいても、「○○さんがいないと成り立たないよね」など、自分がチームの肝、という存在感を示せた時に喜びを感じます。

◆シーン13【自己評価をしましょう】……A

自分が「こう動こう」と決めたことは実践するので、「できることはやった」という自負があるため、どんな評価も潔く受け止めることができます。「行動はしたけれど、戦略的には失敗だった」ということも、素直に認める人です。

上司・ボス・経営者……リーダーは3タイプの進化型

本章の最後に、職場の上司や企業の経営者、起業家など、リーダー的なポジションにいる人の資質についてお話をしたいと思います。

誤解がないよう説明すると、「リーダー」という4つめのタイプはありません。リーダーはここまでご紹介してきた3タイプのいずれかに必ず属しており、そのタイプが、その人本来の働き方のベースになっています。つまり、

◆研究者タイプ由来のリーダー
◆メンタータイプ由来のリーダー
◆No.2タイプ由来のリーダー

…といった感じ。3つのタイプの解説ページ（56〜79ページ）では、それぞれの強みや得意な部分をお話ししました。リーダーは、そういったポジティブな面がより強化された「進化型」の人です。どんな人も、これまでの仕事経験を通じてキャリ

アを積み、スキルを身につけて進化することで、リーダーに成長できる可能性を秘めています。

この「3タイプの進化型」であるリーダーとは、一体どんな資質をもっている人たちなのでしょうか。とくに重要な条件は、次のようなものです。

①自分自身の働き方のパターン、思考のクセを熟知している。
②部下やプロジェクトメンバーの強み、弱みを熟知している。
③プロジェクトや案件について、全体を俯瞰して見ることができる。

自分の得意なこと、苦手なこと、性質などでチームを振り回さないためにも、①は絶対に不可欠な条件。リーダーとして自身のコンディションをつねにいい状態に保つために、コンディションが悪い時は、自分なりのリカバリー方法（ストレス発散など）もちゃんと熟知している必要があります。

そして②。チームの仲間など、他者に対する理解が深いことも、リーダーの大切な条件です。優れた観察力をもち、「このメンバーはこういうタイプだな」「最近元気がないようだから、声をかけてみよう」など、人の心の機微を見抜く能力にも長けています。

基本の3タイプについて、「どれが優れている／劣っている、ではなくて、得意不得意を補い合う関係として、みんなが必要な人材」と前章でもお話ししました。リーダーは、この3タイプのうち、「今の自分のチームには、このタイプが欠けている」と気づくと、自分がそのポジションを補うか、他のメンバー（あるいは外注スタッフ）をアサインして補ってもらうか、いち早く判断し、対応することができます。チームがつねにベストな状態でいるために、時には本来の自分ではないタイプや役割を演じることができるのが、優れたリーダー。その時々の状況に応じてカメレオンのように、3タイプすべてのポジションに変化することができます。

客観的視点の資質である③も不可欠です。プロジェクトの進行中、メンバーが方向性を見失ってしまった時には、「目的地はどこなのか」「今どこにいるのか」をわかりやすく説明し、みんなを導いていくことができます。3タイプの特徴をよく理解しているので、「あなたはこういう傾向があるから、ここは気をつけて」「あなたのこういうスキルが必要だから、よろしくお願いします」など、メンバーそれぞれの強みを生かせるよう、モチベーションを上げたり、注意を促したりしながら、的確に指示を出していきます。

リーダーの役割は、チームのメンバーそれぞれが有機的につながって、目的に向かって動けるよう、気を配ることとです。全員がリーダーになる必要はもちろんありませんが、もしあなたが「リーダーを目指したい！」と思うのであれば、まずは人と会話すること。チームのメンバーとはとくに、積極的なコミュニケーションをとりましょう。「あなたの強みはこういうところですよね」「今回のプロジェクトが成功したポイントは、あなたのこういう活躍でしたね」など、部下やメンバーの強みを見つけて、適切なフィードバックをしていく必要があるからです。

また、それぞれの資質を見極めた上で、部下や仲間の「やる気スイッチ」がどこにあるのかを探っていくのも、リーダーの大切な仕事。優れたリーダーであるほど、その重要性をよく理解しているので、3タイプそれぞれに、次のような働きかけをしていきます。

◆**対研究者タイプ**……プロジェクトを推進させるための参考書類づくりなど、つねに情報収集、リサーチが必要なタスクを与える。

◆**対メンタータイプ**…本人の中でも、まだ具体的に整理されていないアイディアや考えをヒアリングする場をもつ。

◆**対No.2タイプ**……実際にプロジェクトを動かすためのアイディアについて、ヒアリングする場をもち、行動させる。

同時に、3タイプそれぞれの「扱い方のポイント」も、よく把握しています。「かまってほしい」メンタータイプに対しては、マメに共鳴共感すること。放っておくと好き勝手に動いてしまいがちなNo.2タイプに対しては、「重要なクライアントへのオファーの際は、必ず事前連絡をしてください」など、ルールを決めておくこと。前例主義に陥りがちな研究者タイプには、大胆な発想をするメンバーと意見交換をさせてみること、などです。ちなみに、3つのタイプを問わず、リーダーとなるために必要な一般的な資質についても、年代別にまとめました。リーダーを目指す人は、次のようなことがクリアできていることが求められます。

各年代で必要なこと

20代

●自分の能力、スキル、知識を高め、考えを深める。自分の限界・強み・特性を知る。●適応能力を高める。●チームを構成する個人について学び、客観的に理解できる。●チームについて学ぶ。●対話の方法、伝え方を知っている。●さまざまな分野や業界があることを知り、コネクションを広げる。

30代

●自分の能力・スキル・考えを可視化（言語化・図式化・図解化・その他の表現）して他者に伝えられる。●プロジェクトリーダーに「チームに入ってもらいたい」と思わせる。●チームの目的のために自分の能力や知識を使える。●後輩に知識やスキルを伝授できる。●さまざまな分野や業界とコネクションを広げる。

40代

●自分と時代（世間）とのズレを認識し、アップデートできる。●チームの一員としてチームに貢献し、結果を出せる。●チーム論をベースとしてチームをまとめられる。●後輩に知恵、スキルと経験を伝授し、サポートすることができる。●さまざまな分野や業界とコネクションを広げ、そのコネクションを使える。

戦国武将でわかるリーダーのタイプ

リーダーについての理解を深めるために、ここではわかりやすい例として、戦国武将についてみていきましょう。

戦国時代、織田信長というカリスマ的リーダーの存在をきっかけに、明智光秀、徳川家康、豊臣秀吉という進化型リーダーが誕生しました。ちなみに、「敵味方を問わず、つねに〝恐怖〟で人を支配する」といわれた信長は、ある意味、サイコパス的な魅力をもつカリスマリーダーだったのかもしれません（その支配欲が裏目に出て、身を滅ぼしたともいえます）。

まず「本能寺の変」で織田信長を倒した明智光秀は、戦略を練ることが得意な「研究者タイプ由来のリーダー」でした。しかし、本能寺で信長を討った光秀は、そのわずか13日後、「天王山（山崎）の戦い」に破れて生涯を閉じました。研究者タイプの弱点は、「自らの戦略に溺れる」というところですが、思うように他の武将の支持を集められなかった光秀の最期は、まさにそうだったのかもしれません。

織田信長亡き後、リーダーとなったのは、「メンタータイプ由来のリーダー」の豊臣秀吉です。低い身分の出でありながら信長の跡を継ぎ、天下統一を果たしたその武器は、軍事力でも経済力でもなく、周囲の人を味方につける「稀代《きだい》の人たらし」であったことは、歴史好きの間では有名です。竹中半兵衛、黒田官兵衛、石田三成などの優秀な家臣をやる気にさせた人心掌握術は、まさにメンタータイプそのもの。きっと、天才的なモチベーターだったのでしょう。

しかし、メンタータイプ由来のリーダーの時代は、秀吉の病死により幕を閉じました。その後、戦乱の世に終止符を打ち、江戸幕府初代将軍として泰平の世をもたらしたのは、「Ｎｏ．２タイプ由来のリーダー」徳川家康です。幼少期から織田家の人質としての暮らしを余儀なくされた家康は、信長のＮｏ．２として、忍耐続きの生涯を送りました。きっとその苦労の多さゆえに、人の心の痛みがわかるリーダーとなったのでしょう。結果的には人々の心の機微を理解しながら現実的な実務態勢を築いた家康が、秀でたＮｏ．２由来リーダーとして、２６５年間続いた江戸時代の礎《いしずえ》を築き上げたことに私たちは気づかされます。

大河ドラマ、小説などの歴史ものをはじめ、アニメやマンガ、アイドルグループなどの構成についても、ぜひ一度、ディーセント・ワークの視点から、楽しんでみてください。ある人物像を深掘りすることで、あなたの上司や役職者がどんなリーダーなのかがわかり、その攻略法が見えてくるかもしれません。

第3章

相性を知ろう

～上司・部下・仲間として～

まわりの人は、あなたとはまったく違う景色を見ている

〝自分〟について向き合ったり、深掘りをしたり。これまで、「自分のことをそこまで考えたことはなかった」という人もいるかもしれません。けれど、自分の思考パターンや働き方が見えたことで、肩の力が抜けて、心が少しラクになったような気はしませんでしたか？　「完璧を目指して、ムリをする必要はないのかも？」と感じていただけたのであれば、とても嬉しいです。

そうやって自分を知ることと同じように、**ともに働く人たちの特性を理解すると、あなたの仕事スキルはどんどん上がっていきます。**なぜなら、衝突が減るから。上司や部下、同僚、プロジェクトメンバー……等々、働く仲間はさまざまですが、とくに「天敵を知る」ということが、本書のテーマでもある「働きやすさ」につながっています。**対人関係がうまくいかないということは、「働きづらい」と感じる、大きな理由のひとつです。**

以前、メンタータイプのH美さんに、こんな思いを打ち明けられたことがありました。クリエイティブ系の仕事をしているH美さんは、とある企業のWEB広告を担当していたのですが、クライアントとチームの意見がまとまらず、期日が迫っているのに迷走している状態にとても困っていました。その状態について、営業部の男性、G田さんは、「納期までに必要な素材を揃えるために動くのが最優先でしょう。全員の意見を、今聞く必要ってあります?」とバッサリ。ここまでお読みの方なら、もうおわかりですよね。仲間の思いとか、ゴールまでのプロセスを重視するメンタータイプのH美さんと違い、「行動あるのみ!」のG田さんは、人の思いとは関係なく突き進むことができるNo.2タイプです。

憤るH美さんに私は、「G田さんは、悪気なく、心からそう思っているんです。つまり、H美さんとG田さんは、まったく違う世界を見ているんですよ。それくらい、その人にとって大切なものは違うんです」と説明しました。その上でG田さんには、「そういう言い方をされると、なんでもいいから間に合えばいい、と言われているようで傷つきます。次回からは、クリエイティブチームの事情も聞いていただけませんか」と伝えましょう、というアドバイスをしました。

「そんなことを言って、険悪な雰囲気になりませんか……？」と不安げだったH美さんですが、いざその通りに伝えたところ、拍子抜けするほどあっさりと、G田さんは理解を示してくれたのだそうです。「G田さんに悪気がないことも、自分とは視点が違うこともわかって、モヤモヤが晴れました。これからはスムーズにコミュニケーションがとれそうです」と、後日教えてくれました。

第1章と第2章で自分のタイプをつかんだけれど、「私はメンタータイプだから、メンターの能力しか発揮できないんだな」というとらえ方をされたとしたら、それは違います。**自分と他者、その違いを知れば知るほど、いい意味でラクに、戦略的にさまざまな仕事を進めていけるようになるのです。**つまり、得意を生かすことはそのままに、「自分の苦手をいつまでも抱えることなく、ほかのタイプの人に、上手にお願いすることができるようになる」ということ。

人に説明するのが苦手な人は、「〇〇さんは説明がとても上手ですよね。なので、××社の担当に伝えていただけないでしょうか」と、仲間にお願いする。あるいは、伝え方のうまい人の方法を真似る、でもいいのです。

本章では、いつもぶつかる苦手な人もいれば、なぜかいつも自然とスムーズにいく人もいるという、それぞれのタイプにおける相性についてご紹介します。同じタイプでも、部下と上司で立場が変わるとどうなるかなど、細かく解説しています。あなたの職場、プロジェクトなど、身近な人との関係性に当てはめて、読んでみてください。

研究者から見た
↓
メンターは、こんな人

結構、苦手…

ちょっと何を言ってるかわからないんですけど

相談件数ナンバーワンの悩ましい組み合わせです。研究者から見ると、過去のデータや数字などの具体的な根拠もなく、「こんな感じになるといいと思って！」と未来志向で夢物語を語るメンターは、発想が突飛すぎて、理解不能な存在といえます。

「一体、そのアイディアは何にもとづいて生まれたものなの？」と、想定範囲を超えすぎていて、話すほどに研究者は混乱状態に……。

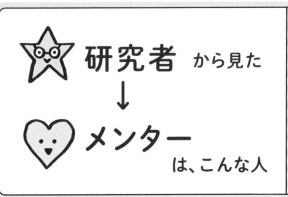

水と油の2人

過去のデータをもとに、少しずつ未来をつくり上げていく

NGワード

で、
言いたいことは
何？

あなたの考え、
まったく
わかんない

全然、
論理的じゃ
ないよね

結論を
先に言って

研究者のあなたに対して、メンターは遠い未来を見ながら想像で物語をつくっていく人たち。ドレッシングの水と油のように、時間軸が「過去」と「未来」にばっさりと分離している2人です。そのままでは美味しくないけれど、「ふって融合すると美味しくなる」と考えておくといいでしょう。

このタイプを理解するために

ドレッシングの瓶をふるためには、「あなたはなぜそう思ったの?」「でも、こういう現実的なことも大事じゃない?」など、つねに会話を重ねていくよう、研究者のあなたが心がけましょう。突飛に思えるメンターの考えも、よくよく話を聞くと、その人なりの筋があります。「過去にこういういい事例を見たことがあって、それとかけあわせると面白いと思った」など、何度もヒアリングすると、研究者にも「なるほど」と理解できるポイントが出てくるはずです。

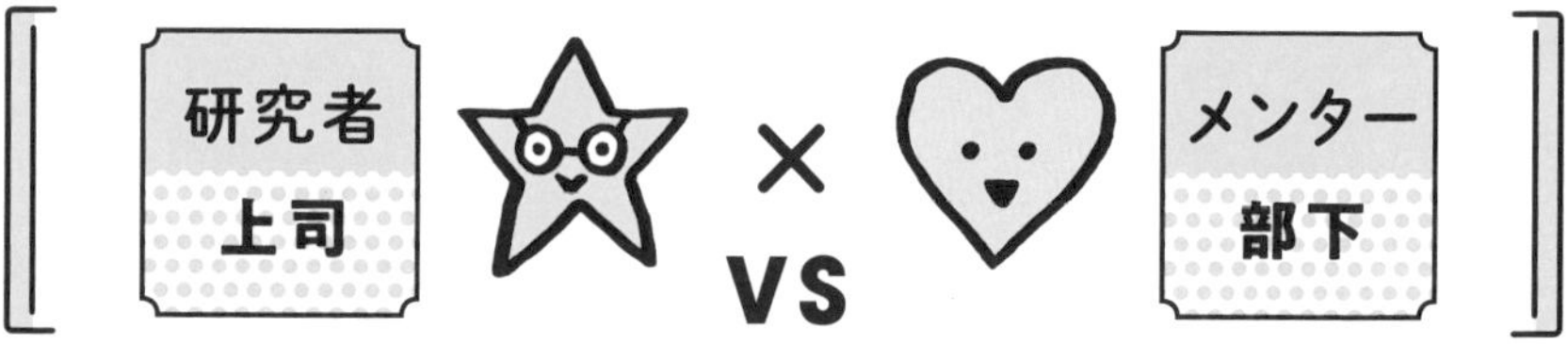

必要なデータバンクが、いつもきちんと整理されている研究者。一方、あなたから見たメンターの脳内は、まるでひっくり返ったおもちゃ箱です。研究者上司がメンター部下を理解するには、このおもちゃ箱自体を否定せず、一緒に整理をしてあげるのが衝突を避けるコツ。「これは何」「あれはどこ」と尋ねながらグルーピングをしたり、収納場所を決めたり。「一緒に解決してくれた」という体験の共有自体に、メンター部下は感動してくれるはずです。

メンター部下へのOKワード

あなたの
こういう部分に
期待をしている

あなたのアイディアを
融合させたら
いいものができる
と思う

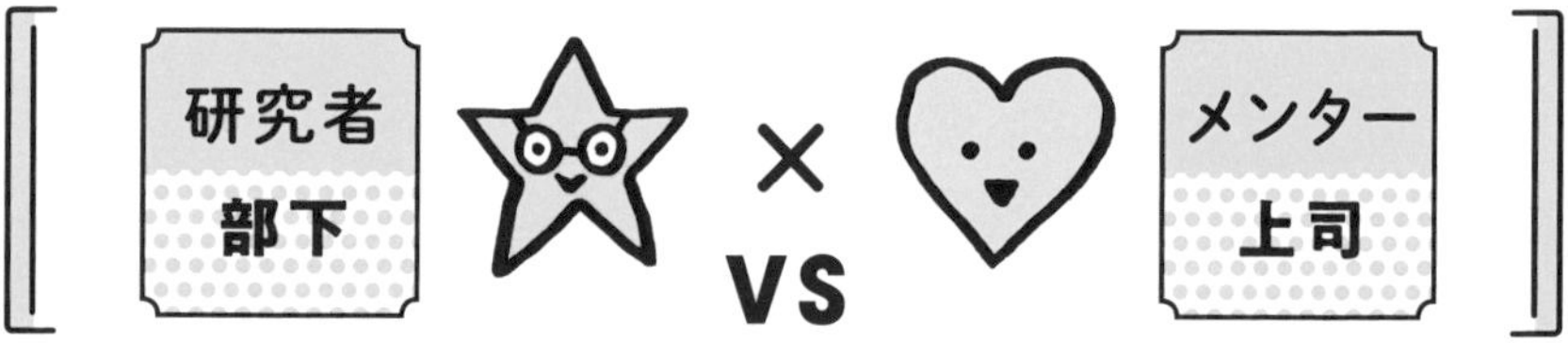

上司が求めるアウトプットの内容がよくわからず、研究者タイプの部下が悩まされる……というパターンがありがち。メンター上司は頭の中の整理ができていない状態のまま、「こんな感じでいきたいんだよね」と、本人にしかわからないストーリーを突然語り始めます。あなたにとっては未来志向すぎて、「どういうことなんだろう？？」と意味不明……。まず、「お互いの着眼点が違う」という認識をもつこと。その上でひとつひとつメモをとっていくと世界観が現れてくるので、理解したことはいちいち言語化してあげましょう。

メンター上司へのOKワード

つまり、
○○さんのお話は、
こういうこと
ですね

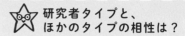

マイペース同士

研究者 × 研究者

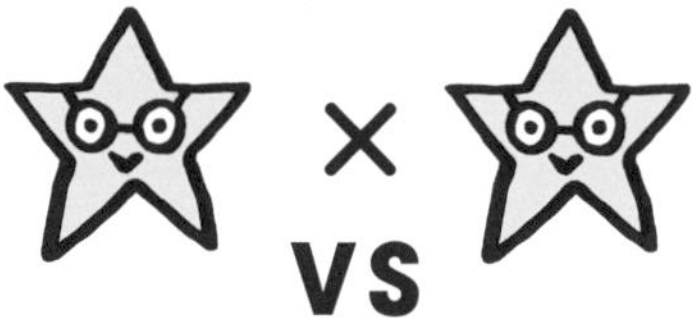

あなたの専門性をリスペクト！

トラブルは少ない組み合わせです。それぞれが好き勝手に自分の仕事をこなしていて、その名の通り、「大学の研究室」のような空気を醸し出します。

対立するとしたら、「同じ研究分野でどちらが先に見つけるか」という場面。部署やプロジェクト内で、ライバルとして競うような時は、険悪になる可能性はあるでしょう。でも基本はお互いの専門分野に対して、リスペクトの気持ちを抱いています。自分の専門領域を侵さない相手に対して害はありません。

上司と部下の関係では過去のデータで判断する思考は同じなので、ピンポイントでわかり合えます。ルーティン化された仕事に安心を感じるので、イノベーションを起こすような、大胆で新しい展開はあまりないかもしれません。

OKワード

ほかの人（とくにメンタータイプ）の意見も聞いてみよう

研究者から見た
↓
No.2は、こんな人

100か0か…

100
0

必ず、同じゴールを目指したい

仲よくできる組み合わせ。過去のデータから近い未来をつくっていく研究者タイプにとって、動きながらではあるけれど、同じように近い未来を見ているNo．2は、お互いの考え方を理解できる関係性。やろうとしていることを実際に行動に出て形にしてくれたり、頭の中でばかり考えてなかなか動けない自分のかわりに実働部隊となってくれたり。目指す目的が合致すると、とてもいいコンビネーションを組むことができます。ただし違う目的地を見ていると、結果がブレるので要注意。

NGワード

（目的について説明しないまま）
これとこれ、やっておいてね

「戦略家の上司と実働部隊の部下」の組み合わせはとても相性がいいのですが、 お互いの目指すゴールが摺り合せできていなかったり、まったく違うものだったりした時は、一転して雲行きが怪しくなります。研究者上司の目的は「売上」、部下は「ブランディング」などゴールが違っていると、No.2 は勝手に見当外れの方向に動いてしまいます。「なんで相談もなく、勝手にそこ動いちゃったの！？」という事態になりかねないので、プロジェクトのスタート時は、必ず「この案件の着地点はどこか」について共有してください。共通認識できれば、好きにやらせておいて大丈夫です。

No.2 部下への OK ワード

一日１回、
状況報告
してください

大事な人とアポをとる前は、
必ず自分と共有
（メールccも）して
くださいね！

No.2 が部下の場合と同様、立場が入れ替わっても、目指すゴールの共有が大切です。せっかく情報やデータのリサーチをしても、No.2 上司との目的が違うと、「このデータ、今回は意味がないんですけど」と、突き返されてしまいます。また、No.2 上司は、「自分が動きたい！」と、すべて自分でやりたがる人も多いため、あなたの上司がそのタイプかどうかの見極めが必要。その場合、研究者部下は参謀として、No.2 上司が動きやすくなるための情報を資料にしてあげるととても喜ばれます。

No.2 上司への OK ワード

必要なデータの
目的について、
共有させて
ください

○○さんの必要な
書類を作りますので、
声かけてください

メンター から見た
↓
研究者
は、こんな人

結構、
苦手…

どうして私の（僕の）話が伝わらないんだろう

研究者にとってメンターが理解しづらい存在であるのと同様、メンターから見た研究者も、今ひとつ「？」な存在です。なぜなら、メンターが語る「この仕事は、こんなふうになっていくといいよね！」というポジティブな想いに対して、「だよね！」という共感が、なぜかちっとも返ってこないから。返ってくるのは、「でも、そういう前例は今までないよね」「コスト的にはどうなの？」など、現実的＆冷静なコメントなので、メンターのテンションは一気に下がってしまうのです。

未来を見る人・過去を見る人

NGワード

頭の中でばかり考えていても、
実際にやってみないと
わからないよね

人の気持ちが
全然わかって
ないですよね

未来志向でどこまでも、「こうなったらいいな！」という物語をつくり出すことができるメンター。でも、研究者は過去のデータや前例など、説得力のあるエビデンスがなければ、そのストーリーに共感することもできないし、動くこともできないのです。メンターのあなたが「共有」を大切にしているのと同様、研究者は「エビデンス」を大切にしています。研究者タイプと仕事をする時は、「もともとズレのある2人なのだ」という前提をもつことが第一歩。

真逆の2人がいいチームを組むためには、メンターが研究者に「説明をする」ことが必要です。ほかのタイプは想像もできないようなストーリーを描くことが得意なメンター。それは才能でもあるのですが、研究者にはとくに、その世界観を言語化するとより伝わりやすくなります。「どう説明すればいいか、さっぱりわからない！」という場合は、研究者タイプに質問をしてもらうといいでしょう。

基本的に、メンター上司であるあなたの話は、研究者部下には理解し難いものがあり、「ちゃんと伝わっていない」ことがほとんど。まずは、その前提に立ちましょう。あなたの見ている世界をできる限り言語化して、整理して伝えることが大事です。自分が考えていることの整理を、研究者部下に手伝ってもらうのもおすすめ。対話やコミュニケーションの機会を増やして、メンター上司であるあなたの見ている世界の全体像と細部を浮き彫りにしてもらいましょう。研究者部下に、それを資料にしてもらうのも、アリです。

研究者部下へのOKワード

具体的に
言ってもらえるので
助かる

近しい事例を
リサーチしてきて
ください

水と油の関係ですが、仕事やプロジェクトにおいては、お互いを補い合う関係性を築くことで、いいコンビネーションを組むことができる2人です。メンター部下が感情にとらわれて迷いの森に入ってしまった時、出口への地図をくれるのは、研究者上司であることを知っておきましょう。感情の共有はしてくれませんが、「〜について、どう思いますか？」と相談してみるといいでしょう。頭の中でさまざまな分析をしている研究者上司は、横道に逸れず、客観的な意見を教えてくれます。

研究者上司へのOKワード

ちょっと
わからなくなって
しまったので、要点を
教えてください

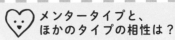

語り合える関係

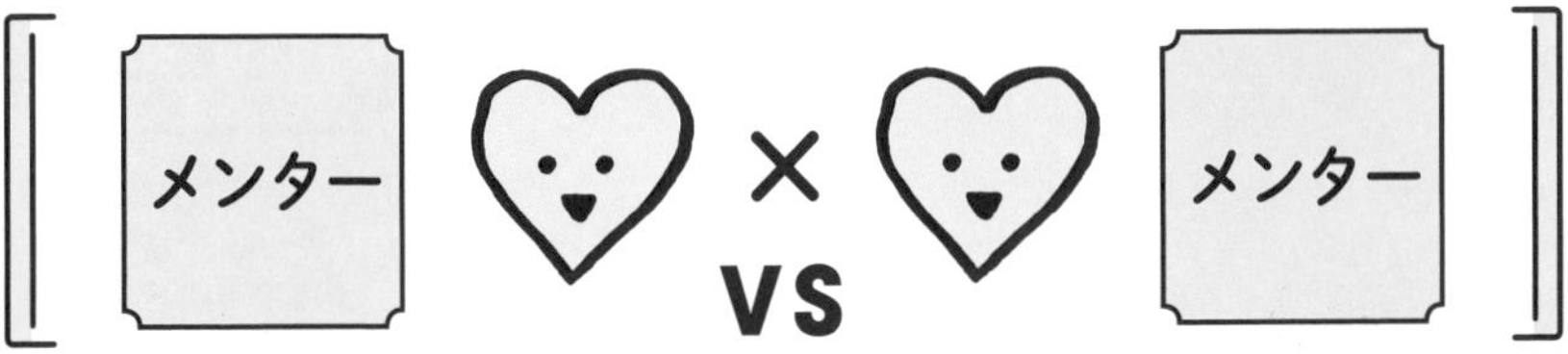

感情の取り扱いに気をつけましょう

気持ちやプロセスを語り合うことで、大いに盛り上がる関係性です。ただし、「何時間でも話せるね！　でも、そろそろ仕事しようか……？」と、仕事の話が一向に進まないケースもありがち。目的がブレてしまい、仕事上のつきあいなのに、何をやっているかわからなくなってしまうことがないよう、気をつけましょう。

自分の「好き嫌い」で判断してしまうメンター同士。お互いに好感をもっていて、共感できる場合はいいのですが、相性の悪いメンター同士の場合、無視をしたり、口も利かない状態になったり、周囲をハラハラさせてしまうことも。仕事にマイナスの感情を持ち込むと、トラブルになるリスクは高くなります。相手の気持ちを感じ取る高い共感力は、プラスに生かすよう心がけましょう。

NGワード

べつにそれでいいんじゃない？

メンターから見た ↓ No.2は、こんな人

仕事が進む！

あなたのやる気スイッチはどこですか？

仕事を進める上で、メンターとNo．2の関係は大切です。夢見がちなメンターのユニークな発想をしっかりとした現実世界に着地させ、体現してくれるのがNo．2。メンターにとってはとても頼もしい存在で、概ねうまくいく組み合わせです。

そんな行動力あるNo．2ですが、上司あるいはプロジェクトそのものに「尊敬の気持ちが全然もてない！」となると、やる気がなくなり、まったく動かなくなってしまう場合があります。「尊敬」というワードは、No．2にとっては重要な原動力。「なんでこんな人（たち）のために」と思うと、とたんにスイッチ・オフとなり、さぼったり、要領よくやろうとしたり、本来の動きが止まってしまうのです。

NGワード

この案件は割り切って
適当にやっといて

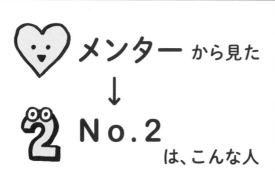

本来、ぶつかる事は少ない組み合わせですが、メンター上司の役割は、No.2 部下のやる気スイッチを押すこと。そのためには、No.2 部下の「どこにやる気スイッチがあるのか？」を探ることがポイントです。なぜなら No.2 は、「なぜこの仕事をやるのか？」という意義をとても大切にする人たちだから。「どんな意義をもつ仕事なのか」について、メンター上司は得意の世界観、物語をしっかりと伝えてあげてください。その熱量が伝わることで、No.2 部下の気持ちの中に、メンター上司であるあなたへの尊敬の気持ちが生まれてくることでしょう。

No.2 部下へのOKワード

一日１回、
状況報告
してください

あなたの積極的な
行動のおかげで
このプロジェクトが
成功したよね

メンター部下にありがちなのは、「こういう夢があるんです！」と、No.2 上司に対し、いきなり大きな目標をぶつけてしまうこと。「そんな急にはムリだから」と、却下されてしまう可能性が大です。実働優先の No.2 上司には、ふわっとした未来の話よりも、実現可能な話のほうが受け入れてもらいやすいでしょう。もしくは、「○○がやりたいのですが、どこからスタートしたらいいですか」というアプローチをするのも◎。「まずは、こういうところから始めたら」「まずこの人に話を聞いてみたら」など、具体的なアドバイスを返してくれるはず。メンタータイプが苦手な、「優先順位のつけ方」「物事の整理の仕方」を教えてもらうのがおすすめです。

**No.2上司への
OKワード**

どこから手を
つければいいか、
優先順位を
教えてください

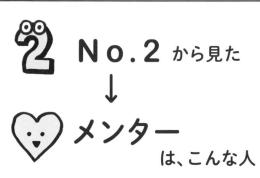

No.2から見た
↓
メンターは、こんな人

ある意味、ファン

あなたの世界観にどこまでもついていきます！

Ｎｏ．２タイプにとってメンターは、まるで「特別な国の住人」のようです。Ｎｏ．２の情熱に火をつけるのは、世の中を変えるイノベーターのような存在の人。自分にはない世界感、ストーリーをもっているメンタータイプに出会うと、「この人についていきたい！」となります。そうなると、本領を発揮。仕事が面白くなって、積極的にどんどん動いていくでしょう。

「Ｎｏ．２」というネーミングは、「補佐役」に喜びを感じる特性からきています。戦国時代でいえば織田信長、ＩＴ界ではスティーブ・ジョブズなど、天才肌で少々変わり者な一面があったとしても、自分にはない才能と強烈すぎるキャラク

NGワード

それ、考えすぎじゃないですか

それって、現実的じゃないですよね

ターのボスには、自分の時間を捧げてもまったく苦になりません。「あの人の役に立ちたい」という熱い思いで、メンターボスの世界観を実現するため、ともに道を開拓していきます。

個人的感情には興味ゼロ

「世の中を変えたい」などの社会的使命感には火がつくことが多いNo.2ですが、メンター特有の「個人的な感情の揺れ」には、まったく関心をもちません。そのため、人間関係の悩みを抱えがちなメンターの気持ちには、あまり上手に寄り添うことができない自分であることを自覚しましょう。もし仲間のメンターから、職場やプロジェクトの人間関係の悩みを打ち明けられた時は、不用意に回答せず、いったん持ち帰るなり、ほかの人の意見を聞くなりしてから対応するのがおすすめです。

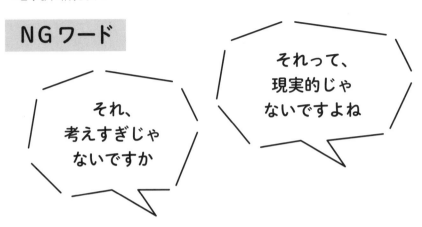

No.2 上司 × メンター 部下 VS

No.2上司の下に、感情の浮き沈みが激しいタイプのメンター部下がつくと、なかなか厳しい組み合わせになります。No.2上司からすると、「周囲にどう見られるか」という、メンター特有の部下の感情がよく理解できないからです。人間関係の調整よりも、プロジェクトのゴールを優先するNo.2。でも、メンターならではの気配りによって、職場の空気が保たれているという部分にも目を向けるようにしましょう。メンターのもつ人間関係の情報について、教えを請うような姿勢でいると、お互いを補い合える2人になれます。

メンター部下へのOKワード

この案件では
誰（人や取引先）を
立てたらよいのか
考えてみて

No.2 部下 × メンター 上司 VS

No.2部下がリスペクトしているメンター上司の場合は、ほとんど問題ない組み合わせです。尊敬する大好きなメンター上司のために、昼夜問わず奔走することがNo.2の喜び。メンター上司の突飛なアイディアに対しても、「これは、こういうことですか」と内容の整理をしてあげられるので、感謝されたり、可愛がられたりするでしょう。一方で悲劇的なのは、No.2部下がメンター上司をまったく尊敬できないケース。No.2部下はスイッチがオフになってしまい、貴重な実働部隊が機能しなくなることに。最悪、「解決策は配置替えしかない」という場合も。

メンター上司へのOKワード

その話、
もっと詳しく
聞かせてください！

マイペース同士

No.2 × No.2

2 VS 2

お互いの領域は侵さずにいようね

お互いがそれぞれ、好き勝手に動いているので、同じ職場にいても、別プロジェクトのように見える組み合わせです。どちらも、自分が好きなように動くのが心地よいので、相手のことは基本的に干渉しません。ただ、あまりにも進行がとっちらかってしまうなど、周囲に迷惑がかかるような事態になると話はべつ。自分が思うように現場を動かせないことには、多大なストレスを抱えてしまいます。

また、No．2同士が同じプロジェクト内にいる場合は、お互いの領域を分けて動くことがうまくいくコツ。仕事をとりに行きたい営業先の奪い合いになったり、尊敬している上司の下では、自分の存在感を示すために火花を散らしたり。ライバルになることもありますが、切磋琢磨しながら成長し合う側面もあるでしょう。

NGワード

こっちでやっておくから、
動かなくていいですよ

No.2から見た
↓

研究者
は、こんな人

景気づけが必要…

この人、どうして現場に行かないんだろう？

「動」のNo．2タイプから見ると、「静」の研究者タイプは、頭でシミュレーションばかりしていて、なかなか動けない人です。その「動けなさ」は、「周囲の人の感情を気にして動けない」というメンタータイプとは違い、「どう実働すればいいかわからない」という性質のもの。自分からどんどん動いていくNo．2から見ると、「どうして動かないんだろう？」と少々イライラするかもしれませんが、「自分と同じようには動けないんだ」という前提をもつことが大切です。「あなたの戦略は、こんな感じで動けばいいよね」と、スモールステップで教えてあげてください。データ集めを「面倒くさい」と感じるNo．2にとって、研究者タイプはありがたい存在。お互いの苦手を補い合える組み合わせです。

NGワード

考えてばかりいても
仕方ないでしょう

No.2 上司 × 研究者 部下

この組み合わせの場合、うまく役割分担をしていくことが課題になります。何事も、「自分でやったほうが早い」と思うNo.2タイプ。上司のポジションになっても、「人に任せる」というのがなかなかできないところがあります。でも、上司としては、部下に役割を与えるのも仕事のうち。自分が思うより時間がかかったとしても、研究者部下が得意なデータ収集から仕事を任せていくようにしましょう。研究者部下を現場に連れて行き、一緒に取り組むのもおすすめです。得意なマニュアル化や記録は任せてみましょう。

研究者部下へのOKワード

> このプロジェクトには、
> あなたのリサーチ力が
> 必要なので
> お願いできますか

No.2 部下 × 研究者 上司

ばっちりうまくいくのは、「営業部でバリバリ動けるNo.2部下と、戦略的に売上を立てていく上司」というイメージ。基本的には、相性のいい組み合わせです。気をつけなければいけないのは、No.2部下が、研究者上司の戦略、思惑とはまったく違う動き方を勝手にしてしまう場合。摺合せが出来ていないまま、物事を進めてしまうリスクのある関係性でもあります。その場合、研究者上司のストレス度はかなり高まってしまうので、マメな「報告・連絡・相談（＝ホウレンソウ）」を心がけるようにしてください。

研究者上司へのOKワード

> この方向性で問題ないか、
> 共有させて
> いただけますか

自分の「エネルギー量」も把握しておきましょう

「働きづらい」を「働きやすい」に変えていくために大切なこと。くり返しお伝えしていますが、そのひとつは、まず自分のタイプを知ることです。その次は、一緒に働く、他の人のタイプを理解しておくこと。そのため本章では、3タイプそれぞれの基本的な相性、組み合わせやポジションによって気をつけるべき注意点について解説しました。そして最後に、もうひとつ、とても大事な要素についてお話をしたいと思います。

それは「エネルギー量」についてです。あなたは仕事をする上で、自分がどのくらい働くエネルギー量（気力＋体力）をもっているか、客観的に考えたことはあるでしょうか？　身近な周囲の人を思い浮かべた時、「あぁ、あの人はエネルギーが強いなぁ（あるいは、弱そうだなぁ）」などのイメージが湧いてくるかと思いますが、それらをまず、自分に当てはめて振り返ってみてください。

たとえば、仕事時間や休息のとり方について。「デスクワークなら、長時間でもわりと大丈夫」「現場で、仲間と一緒に働いていると時間を忘れる」など。また、「午前中は頭が働くけれど、夕方になるにつれてエネルギーが切れる」という人もいれば、「夜のほうが、クリエイティブな作業がはかどる」という人もいるでしょう。そして、「週末はしっかり休むとリフレッシュできて、またがんばろうと思える」とか、「プロジェクト中は休みが少なくてもいいけれど、終わったら1週間は休みをとる」という働き方が合っている人もいるかもしれません。

これからの働き方は、「年功序列型で、定年まで組織に雇用される」という形ではなく、プロジェクト案件ごとにアサインされていくような、自分の強みを生かす「参加型」にシフトしていくだろうと、本書の冒頭でもお伝えしました。その時は、自分のタイプに加えて、**「自分はどこまでならがんばれて、どのくらい休息すると復活できるのか」という、エネルギー量についても客観的に知っておく必要があります。**なぜなら、タイプによって価値観や優先順位が違うように、がんばれるエネルギー量も、人によってまったく違うからです。

3タイプにおいては、次のような傾向に分かれることが多いので、参考にしてみてください。

◆研究者タイプ

エネルギー量は少なめに見える人が多い。たとえると、LED電球。省エネタイプ。現場や人に灯りを照らすことは少なく、ひたすら自分自身の中で照らしているイメージ。働く時間は「この案件は、一日○時間」「休憩時間はここまで」「○曜日と○曜日は休む」など、きっちりとスケジュールがルーティンに組まれているほうがリズムをつかみやすい。充電式なので、ひとりで籠もることで、エネルギー供給ができる。

◆メンタータイプ

エネルギー量は、多い人・少ない人と両極端。たとえると、広い面積を照らす蛍光灯（エネルギー量多めの人は、さらに強く明るい）。つねに周囲の気配や空気にアンテナを向けているため、人に会うだけで、無意識のうちにエネルギーを消費してしまう。電力消費が多いわりに、自家発電が不可能。エネルギーが切れそうな時は、しばらく休んでシャットダウンするか、ほかの場所での充電（気心の知れた人と会うなど）が必要。

◆No.2タイプ

エネルギー量は多め。たとえると、自家発電可能なソーラーパネル。オフィスや事務所にいるよりも、現場で動けば動くほど自家発電&充電できる。3タイプの中ではエネルギー値は最強。連日の飲み会でも疲れない人も。睡眠時間についてもショートスリーパーが多い。ただし、自分が思うように動けないと自家発電ができないので、とたんに電力不足に陥ってしまうことも。

いかがでしょう。自分や周囲の人たちのタイプに照らし合わせると、「たしかに、そんな感じかも」と思えましたか？　このように、エネルギー量（電力量）の大小や強弱、充電式なのか、あるいは自家発電式なのかを知っておくと、さらに自分にとってラクな働き方が見えてきます。

たとえば同じメンタータイプでも、「人に会いすぎると疲れてしまうから、デスクワークや作業に集中する時間も必要だ」とか、「自分は人と関わっていないとやりがいが見出せないから、オンとオフの切り替えをもっと意識していこう」という具合に、弱い電力でも長く走り続けたい人であれば、そのための環境を整えることが不可欠です。たとえどんなに興味関心のある仕事やプロジェクトでも、自分のもつエネルギー量や充電方法と合わないのであれば、それは結局、「働きづらさ」に変わってしまうからです。

「働く」ということは、ある程度、長期的なこと。**ですから、「楽しいかどうか」「向いているかどうか」の軸に加えて考慮すべきは、自分にとって「サスティナブル（持続可能）かどうか」という点**です。そうやってより細かく、**環境や条件をカスタマイズする**ことができるようになると、これまでよりもっと深く、自分を知ることができるでしょう。

これからの時代、自分らしい働き方の決め手となるのは、自分のタイプと、エネルギー量に見合った、心地よい仕事環境です。たとえ「灯火系《ともしび》」のエネルギー量の人でも、少ない時間で精度の高い仕事がこなせるのであれば、「能力のある人」と判断されます。つまり、「どう生きたいか」を考えながら、自分らしい働き方を選び取っていく、ということです。

自分に合った働き方やエネルギー量と比例して、「自分の得意」が社会のためになっていく。そういう循環こそが、自律的で幸福な人生の時間をつくっていくのではないでしょうか。読者の方には、ぜひそういったことを踏まえて、これからの働き方をカスタマイズしていくことをおすすめしたいと思います。

航海図を見ながら、目的地までの近道を見つける研究者。
仲間割れが起きた時、ムードメーカーになるメンター。
天候が荒れた時、風向きとコンパスで突破するNo．2。

「仕事」という冒険に出る時、あなたの役割はどれですか？
その船には、誰一人欠けることなく、乗っていますか？
それぞれのいいところ、得意なことがあるから、
前に進むことができる。
素晴らしい冒険の旅に出るには、この3タイプすべてが必要。
違いがあるからこそ、「化学反応」という奇跡が起きるのです。

情報を集めるのが得意
人の気持ちを読むのが苦手
じっと座って戦略を考える人
個人競技の人
過去から未来を見る人

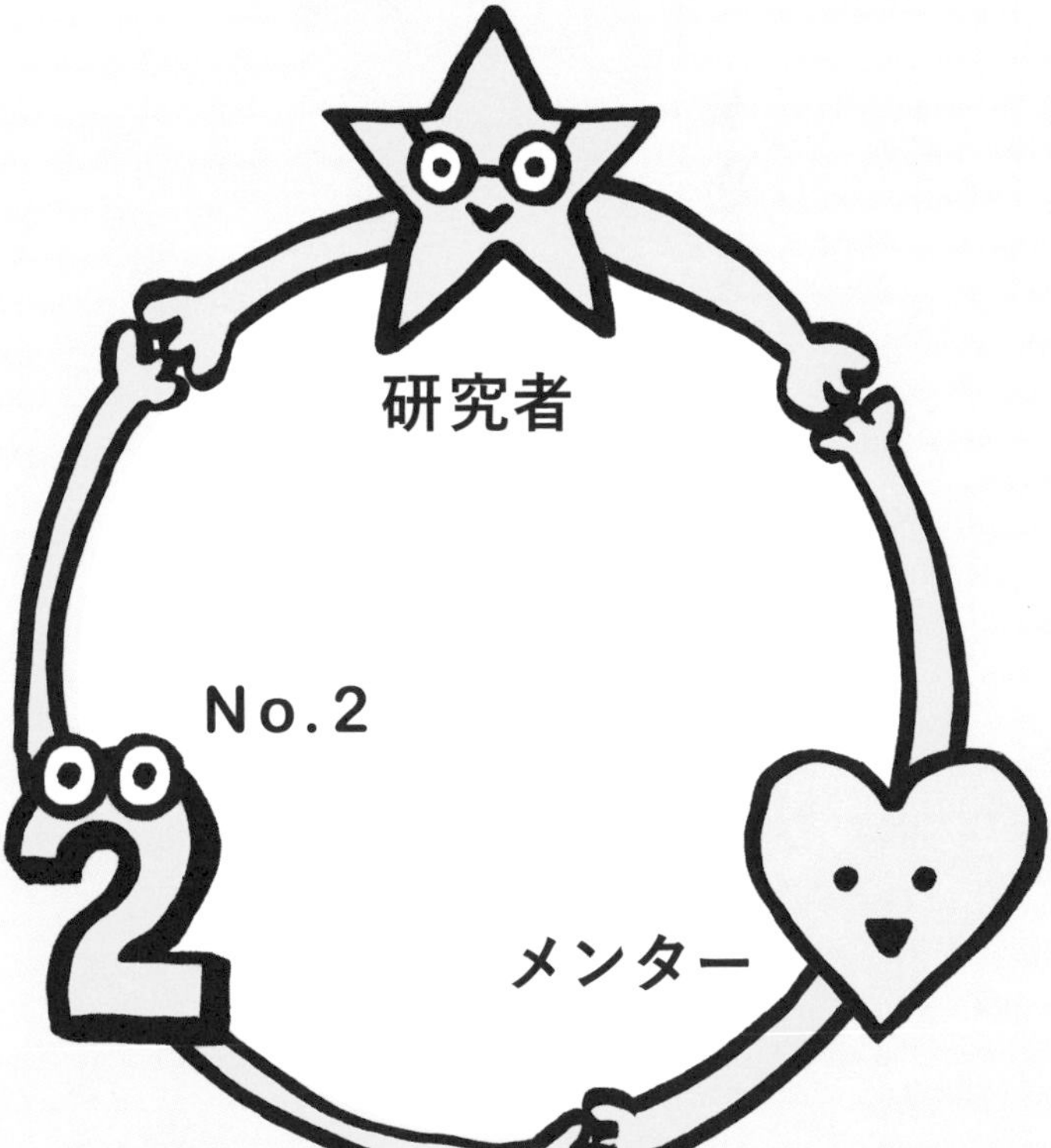

現場でちょこまかと動く人
具体的な行動に出るのが得意
細かい情報のリサーチが面倒
コーディネーター兼進行役
近い未来を見る人

人の気持ちを読むのが得意
具体的な行動に起こすのに
時間がかかる
みんなのムードを盛り上げる人
チームプレーの人
遠い未来を見る人

あとがき

本書を最後までお読みいただき、ありがとうございました。

あなたのタイプ、そして本書のテーマでもある「ディーセント・ワーク（自分らしく働く）」の方法について、少しでもお役に立てるヒントはあったでしょうか？

最後になりましたが、私がこのディーセント・ワークに深く関わり、広めていきたいと思ったいきさつについて、お話しさせてください。このきっかけが少しでも、読者のみなさんの共感につながればいいなと思います。

弟のこと

私は4人きょうだいの長女として生まれました。上から順に私、弟（1歳下）、弟（5歳下）、妹（9歳下）というきょうだい構成なのですが、そのうちの5歳年下の弟は、乳児の頃に事故で、身体障がいと知的障がいを負うことになりました。

弟はもともとは元気に生まれ、まるまると太った元気いっぱいの赤ちゃんでした。ところが生後8ヶ月の頃、たまたま預けられた家で、周囲の大人がほんの一瞬目を離した隙に、頭から床に転倒してしまったのです。顔は内出血のため、みるみる青くなり、声を出すこともなく、眠り始めてしまったと、当時のことを後から聞きました。

それは、私が5~6歳くらいの時の出来事です。記憶に残っているのは、「血が足りません」と叫ぶ人の声と、ナースステーションに鳴り響く電話の音。9時間に及ぶ大手術となり、両親がありとあらゆる知人に輸血をお願いしたため、たくさんの人が病院の廊下に並んでいました。父と祖父も、もうこれ以上は採れないというくらいの輸血をし、先生からは、「命が助かったとしても、寝たきりになるかもしれない」と告げられたのだそうです。

しかし、弟は奇跡的に助かりました。転倒して頭を打った影響で、右手の動きなどの身体的な障がいが残りましたが、スマートフォンなどを使うことはできます。現在は33歳で、知的障がいがありつつも、小学校5年生程度の知的機能であり、簡単な会話のコミュニケーションは問題ありません。

自分で稼ぎたい

障がいのある方の就労支援を行っているというと、「弟さんのことがあるからですか？」と聞かれることが多いのですが、福祉の仕事を始めた当初、弟のことと自分の仕事が結びついているという意識は、じつはあまりありませんでした。子どもの頃、弟のつきそいでリハビリテーションセンターに通ったり、学校でも特別支援学級の先生との関わりがあったりなど、福祉が身近で、自然と興味関心をもったんだろうなというくらいに思っていたのです。

でもある時、弟のひと言がきっかけで、「人が働くということに、もっと深く、本気で向き合っていきたい」と、思った出来事がありました。

弟は、今もリサイクル工場で働いています。それは、ベルトコンベアーで運ばれるペットボトルの中から、ゴミなどの不純物を取り除く仕事です。ある時、その作業中に中身が腐ったジュースが弟の目に入ってしまいました。この事がきっかけで、子どもの頃の手術が原因で肝炎のキャリアでもあることが発覚し、彼は治療のために入院することになってしまったのです。幸いにも完治をして大事なかったのですが、弟はずっと「早く働きたい」と言い続けていました。あまりに訴えるので、「ちゃんと治ってからでいいじゃない」「なぜ、そこまで働こうとするの?」となんの気なく聞いたところ、弟から返ってきたのは、こんな答えでした。

「自分で稼ぎたい。妹にプレゼントをあげたい」

このひと言を聞いて私は、「働く」ということの本当の意味、そして社会の中に自分の役割があることの大切さについて、改めてハッとさせられたのです。今でもあの時の弟の真剣な眼差しは鮮明に覚えていて、事あるごとに蘇ってきます。

「自分はどのように、社会参加をしているのか」「どのように、その自分を表現していくのか」。障がいのあるなしに関わらず、社会とのつながりこそが、生きる意味につながっているのだということを、弟に教わったような気持ちになったのです。

そして弟が障がいを負ってからずっと罪悪感に苛まれていた母は、彼が働くようになり、「障害者手帳」などの福祉のしくみや「最低賃金」をもらって自分でお金を稼いでいける見通しが立った時から、「かわいそう」という言葉を一切口に出さなくなりました。

すべての人に、役割がある世界へ

日本の福祉の分野には、「障がいのある人を、なぜ働かせる必要があるのか」という価値観が、いまだ根強く残っているのも事実です。でも私は弟を取り巻くさまざまな原体験から、「かわいそうだから守る」ではなくて、「いろいろな事情の人たちが、時にサポートを受けながら、どうすれば社会と関わっていけるのか」ということを追求していきたかったんだ、と、自分が本当にやりたかった仕事について、気づくことができました。

働くということは、その人が自分の存在価値を示すための重要な要素のひとつ。だから就労が困難な状況にある人も、その環境を超えて、働く権利があることを主張していきたい。一人ひとりに役割があるけれど、時にはその役割を休んだり、居場所や職を変えたりしてもいい。たとえ居場所が変わっても、その人の個性を生かせば、またべつの居場所がすぐに見つかる社会。それが実現できれば、時代がどう変化しようと、人々は安心して暮らすことができるのではないでしょうか。

そんなすべての人にとって居心地のよい社会をつくるために、これからもディーセント・ワークを掲げて、活動を広げていきたいと思っています。もし、少しでも興味をもっていただけたら、「NPO法人ディーセントワーク・ラボ」の活動を覗きにきてください。

本書の出版にあたり、長期にわたって企画にお付き合いくださった小学館出版局の木村順治さん、私の話をいつも興味をもって聞き、さらに深めてくださったフリーランス・エディターの井尾淳子さんに、心から感謝いたします。

コロナ禍の大変な時代ですが、今ここで、これまでの働き方を見直すきっかけとなり、自分らしく働く方法や未来が少しでも見えてきますように。そして、これからは「すべての人がコミュニティやグループの中で、何らかの役割をもち、本人も周囲もそれを認識できる社会」でありますように。そのために私たちは今日も活動を続けていきます。

2021年9月

働きがい創出コンサルタント　中尾 文香

中尾《なかお》 文香《あやか》

働きがい創出コンサルタント。NPO法人ディーセントワーク・ラボ代表理事。社会福祉士。博士（社会福祉学）。現場から研究、政策提言までダイナミックに活躍するソーシャルワーカー。SDGsの8番目の目標でもある「ディーセント・ワーク（働きがいのある人間らしい仕事）」を体現。障がい者の働きがいと役割の創出のために、これまで300以上のプロジェクトを企画・運営。一般の企業ではアクセンチュア株式会社、ヤフー株式会社系列企業、ウイングアーク1st株式会社京都市、NPO法人など、100以上の企業、団体のコンサルティングや研修、協働事業を実施している。

自分史上
最高の働き方がわかるワーク
職場の人間関係をスムーズに！

2021年9月13日　初版第1刷発行

著者　　中尾文香
発行人　小澤洋美
発行所　株式会社小学館
〒101-8001 東京都千代田区一ツ橋2-3-1
編集：03-3230-5651　販売：03-5281-3555
印刷所　共同印刷株式会社
製本所　牧製本印刷株式会社

装丁・デザイン　わたなべひろこ（Hiroko Book Design）
イラスト　わたなべひろこ
ＤＴＰ　昭和ブライト株式会社
校正　玄冬書林
構成　井尾淳子
編集　木村順治

ISBN978-4-09-310687-0